パソコン
超初心者のための
図解でかんたん！
Jw_cad8

本書利用上の注意

■付録CD-ROMの使用について

　付録 CD-ROM には、Jw_cad インストール用プログラムおよび作図練習用の図面ファイルなどを収録しています。これらのファイルを使用したことによるいかなる損害についても、当社・筆者・著作権者・データ提供者などの関係者は一切の責任を負いかねます。また、収録したファイルおよび関連データのサポートについても、当社・筆者・著作権者・データ提供者などの関係者は一切行っておりません。したがいまして、これらのファイルおよび関連データのご使用については、個人の責任の範囲で行ってください。

■著作権・商標・登録商標について

　本書の内容および付録 CD-ROM に収録したデータはすべて著作権上の保護を受けているので、本書の練習以外の目的で使用・複製・変更・譲渡・貸与・販売することを禁じます。なお、Windows は米国 Microsoft Corporation の米国および他国における登録商標です。その他、本書に掲載されたすべての製品名、会社名などは、一般に各社の商標または登録商標です。

■Jw_cadの収録および操作画面の掲載について

　Jw_cad の付録 CD-ROM への収録および操作画面などの本書への掲載につきましては、Jw_cad の著作権者である清水治郎氏と田中善文氏の許諾をいただいております。

はじめに

　本書は、Windows パソコン上で建築図面を作図するためのソフトウェア「Jw_cad」（ジェイダブリュキャド）の基本操作を覚える入門的な解説書です。

　本書の前身である旧版を出版してから 4 年ほどが経ちました。旧版では、Windows に不慣れな人（超初心者）が Jw_cad に初めて挑戦するというシチュエーションを想定し、少ない説明文で必要最小限の情報を提供することに留意しました。大き目の文字と図でレイアウトしたことも奏功したのか一定の支持をいただいたこと、このような内容に根強い需要があることを知り、最新の Windows および Jw_cad のバージョンに合わせるため、リニューアルしました。

　Jw_cad の作者の公式ホームページ「Jw_cad のページ」（● p.32）では、Jw_cad の最新バージョンとして「8.10b」がリリースされています（2020 年 3 月時点）。「8.10b」は、旧版で扱ったバージョン「7.11」（2012 年リリース）から数度のバージョンアップを経たものです。細部で機能の変更や追加が施されていて、多くのプロの建築士が建築設計の実務に使っている 2 次元 CAD として完成域に達しつつ、ますます磨きがかかっています。

　十分な建築図面作図機能を有している点は、ユーザー誰もが認めるところですが、Jw_cad の特筆すべき長所としてアナウンスしたいのが、プログラムサイズの小ささです。インストールはごく短時間で終わり、起動・終了、図面ファイルのオープンは瞬時です。動作も安定しています。そして何より、無償で利用できるということも付け加えておきましょう（● p.9）。

　褒め過ぎの感がありますが、間違いなく重宝なツールである Jw_cad を、多くの方が知り、多くの方に利用していただきたいとの強い思いで、本書を再び世に送り出します。

　本書付録のCD‐ROMで提供している練習用ファイルを使って実際に作図することで、「こんなに簡単に部屋の間取図がかけるんだ！」と実感できることでしょう。本書との出会いをきっかけに、Jw_cad と親しくなっていただければ幸いです。

中央編集舎　代表　鈴木 健二

第 3 章　文字と寸法をかく

第 4 章　図形を加工する

第5章　間取図をかく

カバーデザイン：会津 勝久

カバーイラスト：江口 修平

Jw_cadを使う準備

01 Jw_cadとは

　Jw_cad（ジェイダブリュキャド）は，パソコンで図面をかくためのソフトウェア（以降，ソフト）です。このようにコンピューターを使って物の形状や図面を設計・作図するソフトを「CAD」といいます。Jw_cadは建築図面を効率よくかくための機能がたくさんあり、日本の建築業界では使っている人が多いCADのひとつです。

Jw_cad でかいた建築図面

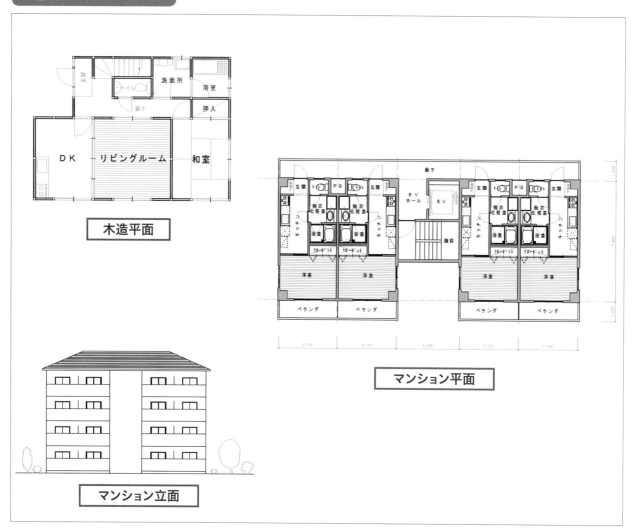

木造平面

マンション平面

マンション立面

補足 「CAD」は「Computer Aided Design」の略です。

補足 上記図面はJw_cadの本体に収録されているサンプルの図面です。Jw_cadをインストール後、「JWW」フォルダーから開くことができます。▶ p.37、48

→ Jw_cad はフリーソフト

「Jw_cad」は、インターネット上で配布されている、フリーのパソコン用ソフト（以降、フリーソフト）です。この「フリー」とは、代金や使用料が不要（無料・無償）であるという意味です。ソフトが無料で使える代わりに、添付されている規約などを遵守し、個人がルールやマナーを守ることが条件となっています。以下にフリーソフトの一般的な規約を示します。

◉ 操作方法やエラー対処方法に関する情報提供およびバージョンアップなどのユーザーサポートは行われません。連絡先や問い合わせ先は公開されないか、されていたとしてもクレームは受け付けてもらえません。ノークレーム、ノーサポートが原則です。

◉ フリーソフトを使用した結果やその産物については、すべて使う側の自己責任・管理責任となります。作者・著作権者・提供者などの関係者は、法的にいっさい免責となります。

◉ フリーソフトには著作権があります。したがって著作権者に無断でフリーソフトをそのまま、または改変し、有料・有償で他者に貸与・配布・販売などを行うことは違法となります。

フリーソフトを使う際のマナーとルール

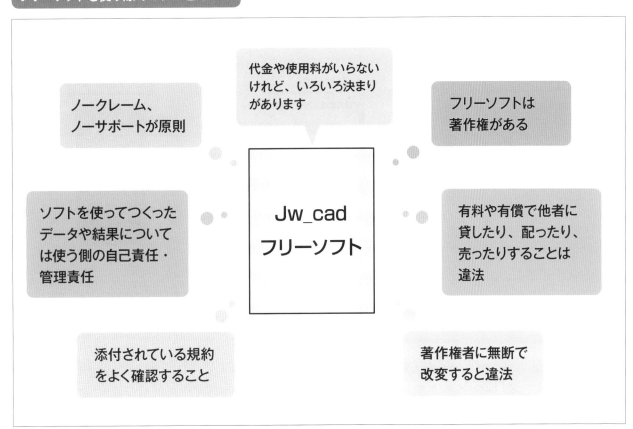

01 Jw_cadは Windowsで使う

　パソコンには、Jw_cadが使えるパソコンとそうでないものがあります。次にJw_cadを使うためのパソコンの条件を説明します。

→ OS

　「OS(オーエス)」とは「Operating System」の略で、ユーザーからの指示を解釈してコンピューターを制御する必須の基本システムです。パソコン用OSでもっとも多く使われているのが「Windows(ウィンドウズ)」で、他に「MacOS(マックオーエス)」などがあります。また、スマートフォン用OSには「Android(アンドロイド)」や「iOS(アイオーエス)」などがあります。
　Jw_cadは、Windowsが搭載されたパソコンでのみ使えます。

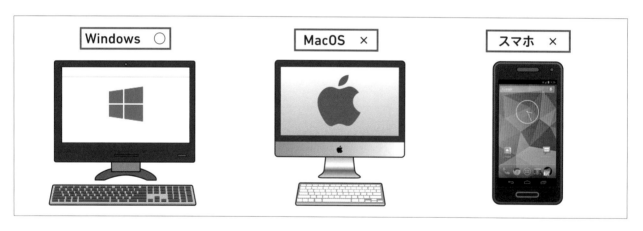

→ Windows のバージョン

　2020年3月現在、Jw_cadの最新バージョンは8.10bで、本書では、Jw_cad 8.10bをWindows 10(テン)にインストールした状態で、説明します。
　Jw_cad 8.10bはWindows Vista(ビスタ)／7(セブン)／8(エイト) にも対応していますが、マイクロソフト社のサポートが終了しているバージョンがあるので、現時点では、Windows 10での使用をおすすめします。

　Windows 10は年2回のペースでやや大きなアップデート（システムの更新）が行われています。本書の解説に使用しているWindows 10は2019年後半にアップデートされたものです。これまでアップデートのたびに、スタートボタンに関連した操作方法やアイコン配置、システムの設定などが部分的に変更されてきました。今後もこのような変更が行われる可能性があります。

　このため、Windowsの操作においては、本書の説明と読者のみなさんのパソコンの画面が一致しない場合があり得ますが、本書の説明範囲でJw_cad 8.10bを使う限り、大きな影響はないでしょう。

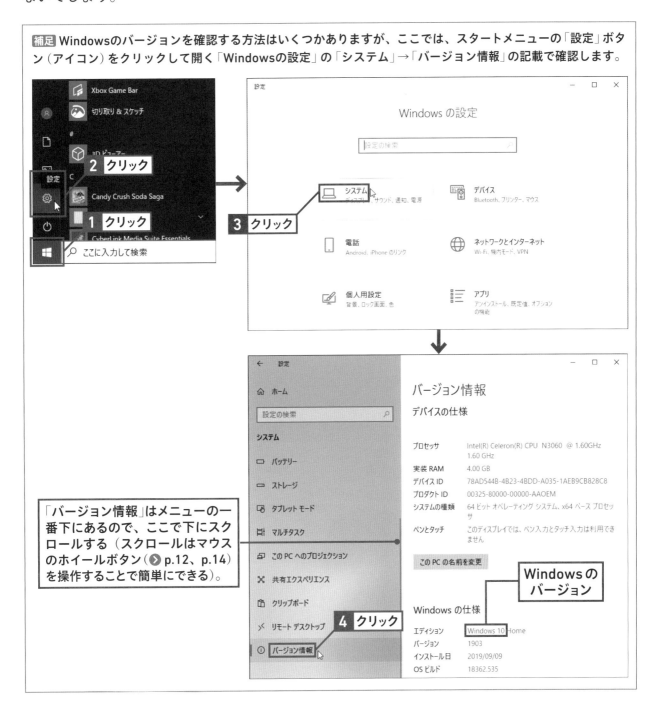

補足 Windowsのバージョンを確認する方法はいくつかありますが、ここでは、スタートメニューの「設定」ボタン（アイコン）をクリックして開く「Windowsの設定」の「システム」→「バージョン情報」の記載で確認します。

「バージョン情報」はメニューの一番下にあるので、ここで下にスクロールする（スクロールはマウスのホイールボタン（▶ p.12、p.14）を操作することで簡単にできる）。

02 Jw_cadが動作するための その他の条件

Jw_cadが動作するためには、以下の条件も満たしていることが必要です。

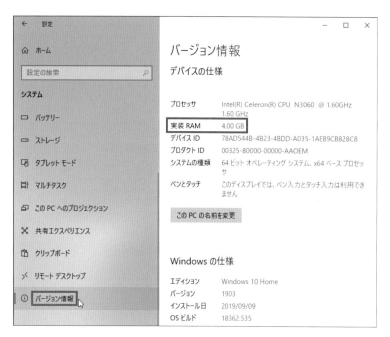

■パソコンのメモリ容量が64MB以上あること
【ここで確認！】
「Windowsの設定」の「システム」（●p.11）→「バージョン情報」にある「実装RAM」を確認します。

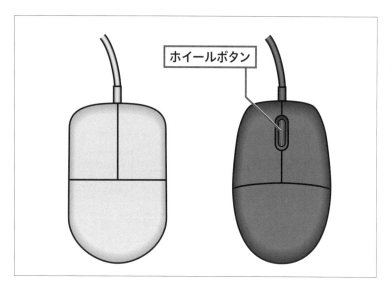

ホイールボタン

■2または3ボタン（ホイールボタン付き）のマウスが使えること
【ここで確認！】
マウスの形状で確認します。

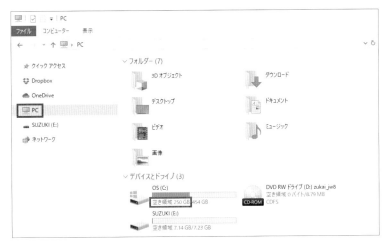

■ハードディスクの空き領域が
5MB以上あること
【ここで確認！】
デスクトップ下端にあるタスクバー
のエクスプローラーボタンをクリッ
ク（● p.19）し、ツリー表示で「PC」
をクリックして、「OS（C:）」ドライ
ブの空き領域を確認します。

補足 空き領域が表示されていない場合は、「OS（C:）」ドライブの
上にマウスポインタを移動すると表示される説明窓（ツールチッ
プ）で確認します。

補足 Windows 10の種類によっては、
「OS（C:）」ではなく「ローカル ディスク
（C:）」と表示されます。

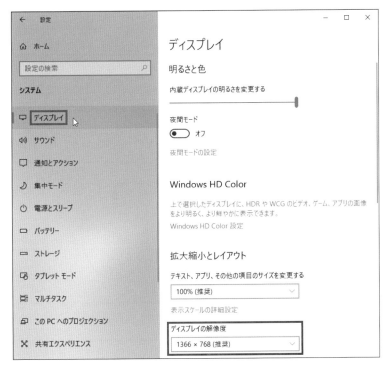

■ディスプレイ（モニタ）の解像度
が800×600ドット以上あること
【ここで確認！】
「Windowsの設定」の「システム」
（● p.11）→「ディスプレイ」にある
「ディスプレイの解像度」を確認し
ます。

補足 メモリや空き領域の容量の単位「GB」（ギガバイト）は「MB」
（メガバイト）の1000倍です。現在、一般的に使用されているパ
ソコンのメモリ容量は「GB」単位なので、ほとんどのパソコン
でJw_cadが使用できます。

注意! p.10～13までの条件を満たしてい
ても、なんらかの原因でJw_cadが正常
に動作しないこともあります。あらかじ
めご了承ください。

03 マウスの操作方法

WindowsやJw_cadの操作にマウスは欠かせません。Windowsパソコンで使う一般的なマウスには、左右にプッシュボタンが、中央にホイールボタンがあります。ここで、マウス操作の呼称と操作方法をまとめます。

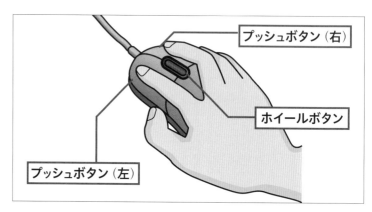

プッシュボタン（右）

ホイールボタン

プッシュボタン（左）

➡ 移動とポイント

どのボタンも押さずにマウスを移動し、画面上のマウスポインタ（🖰）やマウスカーソル（Ⅰ）で目的の位置を指し示す（ポイント）ことです。次頁の「ドラッグ」と混同しないようにしましょう。

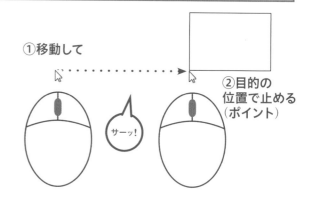

①移動して

サーッ!

②目的の位置で止める（ポイント）

➡ プレス

プッシュボタンを押した状態にするだけで、マウスは動かしません。次頁のドラッグ開始前などに行う操作です。

押したままにする

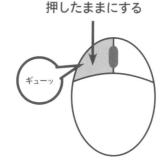

ギューッ

クリック

プッシュボタンを押してすぐに元に戻す（放す）ことです。押して力を抜けば自動的に元に戻ります。Jw_cadでは左プッシュボタンのクリック、右プッシュボタンの右クリック、両方のプッシュボタンの両クリックの3通りを使い分けます。

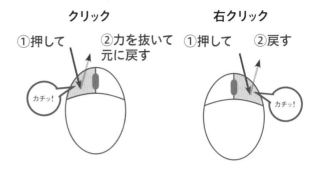

ダブルクリック

クリックを素早く2回繰り返すことです。クリックの間隔が0.5秒程度を超えると、クリックが2回行われたと判断され、ダブルクリックになりません。ダブルクリックと右ダブルクリックの2通りを使い分けます。

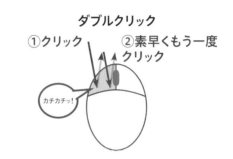

ドラッグ

プッシュボタンを押した状態のままマウスを移動して、移動後にボタンを元に戻す（放す）ことです。Jw_cadではドラッグ、右ドラッグ、両ドラッグの3通りを使い分けます。

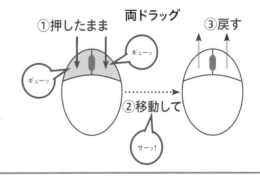

ホイールボタン操作

ホイールボタンの回転操作は、エクスプローラーやファイル選択ウィンドウなどでの画面スクロールに使います。Jw_cadの作図画面上では、ホイールボタンの回転操作と押す操作に画面表示の拡大・縮小・移動などの機能が割り当てられています。

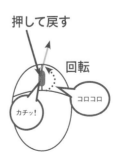

SECTION
02 Jw_cadを インストールしよう

　それでは、付録CD-ROM（以降、付録CD）に収録されているJw_cad 8.10bをパソコンにインストールしましょう。本書ではWindows 10を使って説明していきます。本書に挟み込まれている付録CDを袋から取り出してください。

➡ 付録 CD をセットする

付録 CD はこれです

| オモテ | ウラ |

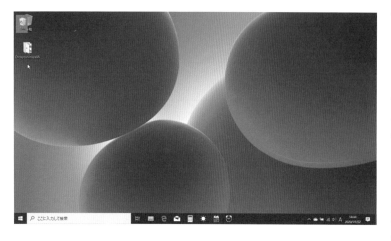

1 電源を入れる

パソコンの電源を入れ、Windowsのデスクトップ画面を表示します。

2 付録 CD をセットする

DVD/CDドライブ装置を開け、付録CDをセットし、装置を閉めます。

➲ 次頁

DVD/CD ドライブ装置と開閉方法

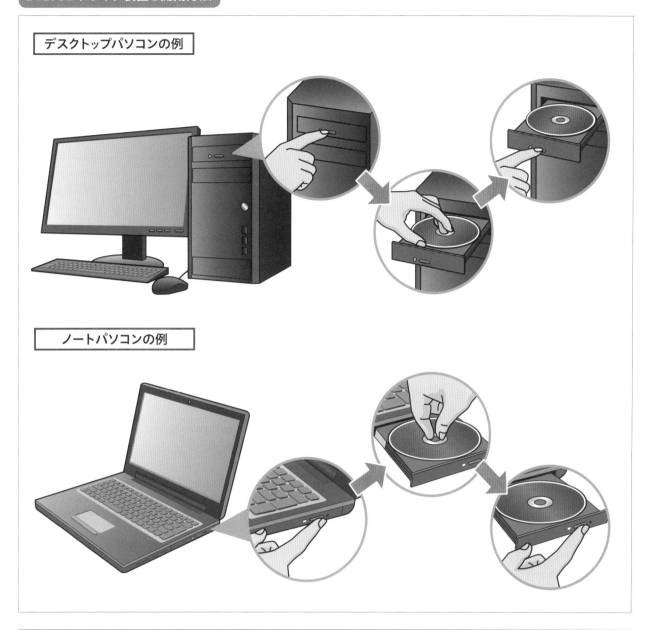

デスクトップパソコンの例

ノートパソコンの例

注意! DVD/CDドライブ装置の位置や形状はパソコンによって異なります。ほとんどのパソコンでは、上図のような様子で付録CDのオモテ（ラベル面）を上に向けてセットします。また、最近のノートパソコンにはDVD/CDドライブ装置が搭載されていないものがあります。その場合は外付け（ポータブル）DVDドライブを接続して付録CDをお使いください。

01 付録CDの内容を確認する

　付録CDには、Jw_cadのインストールファイル「jww810b」と練習用ファイルをまとめた「Sample」フォルダーが収録されています。内容を確認してみましょう。

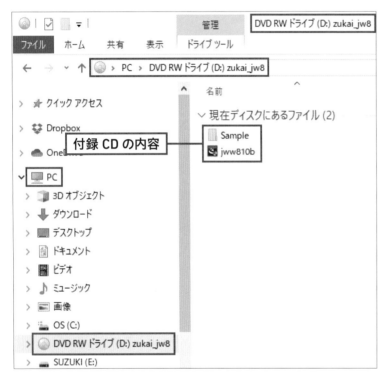

付録 CD の内容

1 付録 CD を開く

付 録 CD をパソコンの DVD / CD ドライブ装置にセットすると、Windows付属のソフト「エクスプローラー」が開き、付録CDの内容が表示されます。

注意! 画面右上端に「リムーバブルドライブに対して行う操作を選んでください。」などと表示された場合には、その画面をクリックしてから「フォルダーを開いてファイルを表示」をクリックします。また、「エクスプローラー」が開かず何も表示されない場合は、「エクスプローラー」を手動で起動し、付録CDを開きます。▶次頁

→ エクスプローラーを手動で開き、付録 CD を開くには

エクスプローラー（エクスプローラ）はWindowsに標準で付属しているソフト（機能）で、フォルダーやファイルをツリー形式および一覧形式で表示し、それらを選択して移動やコピーを行うために使います。他にもいろいろな機能がありますが、一般には、パソコンやDVD（CD）に保存されているフォルダーやファイルを取り扱うためのツールと考えればよいでしょう。

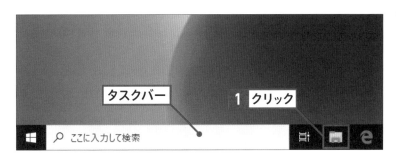

1 エクスプローラーを開く

デスクトップ下端のタスクバーにあるエクスプローラーボタンをクリックします。

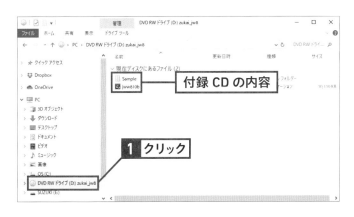

2 付録 CD を開く

エクスプローラーが起動します。左側のツリー表示で付録CDをセットしたDVD/CDドライブ（画面ではDVD RWドライブ）をクリックすると、付録CDの内容が表示されます。

エクスプローラーの構成

タブをクリックするとそのグループにあるコマンドなどをリボンで表示

「戻る」「進む」ボタン

ドライブやフォルダーをツリー表示

選択したファイルの詳細を表示

タブ

選択したドライブやフォルダーのアドレス（場所）を表示

ツリー表示で選択したフォルダーなどの内容を表示

02 Jw_cadをインストールする

前項で確認した「jww810b（.exe）」を使って、Jw_cadのインストールを実行します。ここではパソコンにJw_cad 8.10bがインストールされていないことを前提に説明します。

注意! お使いのパソコンに8.10bよりも古いバージョンのJw_cadがすでにインストールされていて、付録CDのJw_cad 8.10bをインストールすると、古いバージョンのJw_cadが自動的に削除されて、Jw_cad 8.10bがインストールされます。

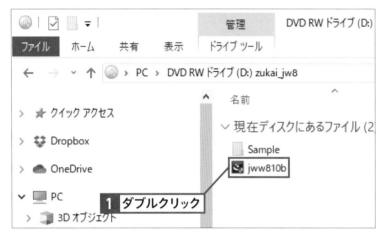

1 インストールを開始する

「jww810b.exe」（エクスプローラーの設定によっては「jww810b」）をダブルクリックします。

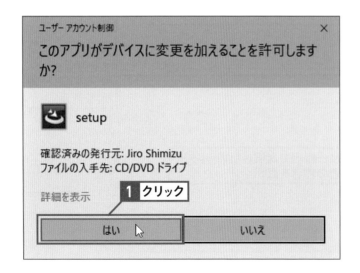

2 インストールを許可する

「ユーザー アカウント制御」ダイアログが開きます。ここでは問題ないので、「はい」をクリックしてダイアログを閉じます。

補足 Windows 10の種類によっては、「ユーザー アカウント制御」ダイアログが開かず、次の作業に進める場合があります。

1 クリック

3 インストール用の ウィザードを開始する

インストール作業を導いてくれる ウィザードの画面に切り替わるの で、「次へ」をクリックします。

注意! お使いのパソコンにすでにJw_cadのバージョン8.10bがインストールされている場合、上記の手順3では表示される画面の記載内容は右図になり、ここで「次へ」をクリックすると下図の「プログラムの保守」の画面に切り替わります。この場合はJw_cad 8.10bをインストールする必要がないので、ダイアログの設定はそのままで「キャンセル」をクリックしてください。「Jw_cadのインストールを中断してもよろしいですか？」と表示されるので「はい」をクリックします。右下図の画面に切り替わるので、「完了」をクリックしてインストール作業を中止してください。

1 クリック

次へ(N) > キャンセル

プログラムの保守
プログラムを変更、修復、および削除します。

Jw_cad のインストールを中断してもよろしいですか？

はい(Y)　いいえ(N)

3 クリック

2 クリック

< 戻る(B)　次へ(N) >　キャンセル

InstallShield ウィザードを完了しました

ウィザードは、Jw_cad のインストールを完了する前に中断されました。
システムの状態は変更されていません。改めてインストールする場合は、再度セットアップを実行してください。

「完了」をクリックして、ウィザードを終了してください。

4 クリック

< 戻る(B)　完了(F)　キャンセル

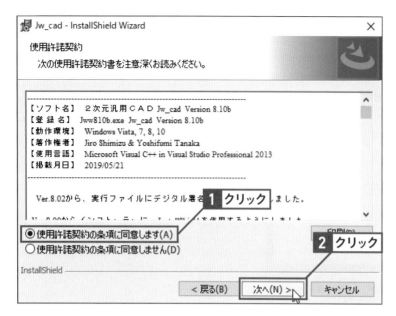

4 使用許諾契約に同意する

使用許諾契約の画面に切り替わるので、内容をよく読んでから、「使用許諾契約の条項に同意します」の○をクリックして●を付け、「次へ」をクリックします。

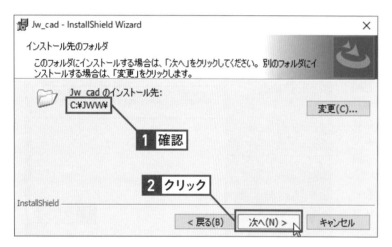

5 インストール先を指定する

インストール先を指定する画面に切り替わるので、「Jw_cadのインストール先」が「C:¥JWW¥」であることを確認し、「次へ」をクリックします。

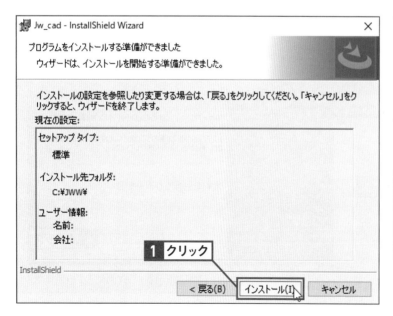

6 インストールを実行する

インストールの準備が整った画面に切り替わるので、「インストール」をクリックします。

> 注意! 古いバージョンのJw_cadを上書きしてインストールする場合は、インストール先のフォルダー名は「jww」と小文字になりますが、問題はありません。

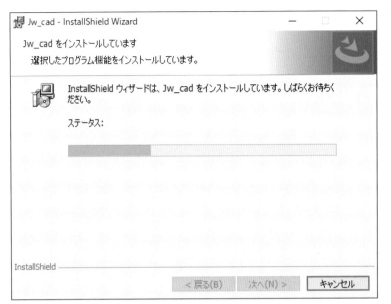

7 インストールが始まる

インストールの進捗状況を示す画面が表示されてインストールが自動的に進みます。

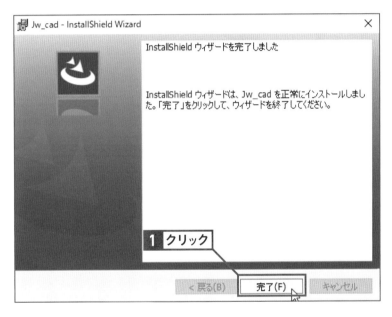

8 インストールが完了した

インストールが完了するので、「完了」をクリックします。Jw_cad 8.10bのインストールができました。

注意! すでにJw_cadのバージョン8以降（Jw_cad 8.03aや8.10bなど）がインストールされているパソコンに、バージョン7（Jw_cad 7.11など）の古いJw_cadをインストールしようとすると、右図のような画面が表示される場合があります。
このような場合は、「OK」をクリックしてインストールを中止し、すでにインストールされているバージョン8のJw_cadを使用してください。

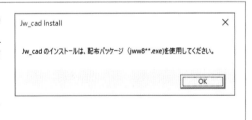

03 Jw_cadのショートカットをつくる

　Jw_cad起動用のショートカットアイコンをデスクトップにつくります。ショートカット
アイコンがあれば、目的のファイルやフォルダーをすぐに開くことができて便利です。
ショートカットのアイコンには左下に矢印がつきます。ショートカットアイコンをつくらな
い場合は、スタートメニューから起動することになります。

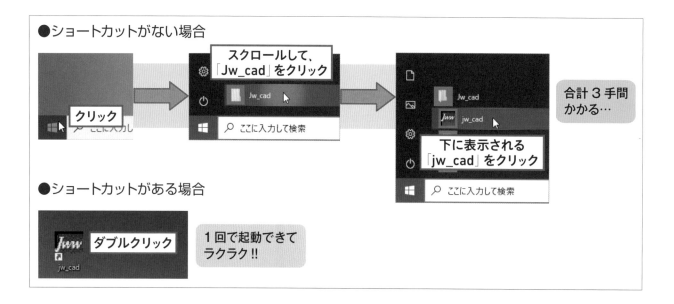

●ショートカットがない場合

スクロールして、
「Jw_cad」をクリック

クリック

合計3手間
かかる…

下に表示される
「jw_cad」をクリック

●ショートカットがある場合

ダブルクリック

1回で起動できて
ラクラク!!

2 クリック

3 右クリック

1 クリック

1 右クリックメニューを表示

スタートメニュー（●p.11）をクリッ
クし、「Jw_cad」をクリックして開
き、下に表示される「jw_cad」を
右クリックします。

注意! スタートメニューの「Jw_cad」からデスクトップにショートカットを作成する場合は、「Jw_cad」のプロ
グラムアイコンを右クリックします。左クリックするとJw_cadが起動します。

2 ファイルの場所を開く

右クリックメニューが開くので、「その他」をクリックし、さらに開くメニューから「ファイルの場所を開く」をクリックします。

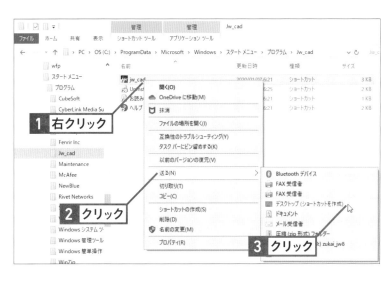

3 ショートカットを作成

「Jw_cad」フォルダーがエクスプローラーで開きます。「jw_cad」を右クリックし、開いたメニューから「送る」をクリック、さらに開くメニューから「デスクトップ（ショートカットを作成）」をクリックします。

4 ショートカットアイコンができた

デスクトップにJw_cad起動用のショートカットアイコンが作成されます。これをダブルクリックすると、Jw_cadが起動します。◯ p.28

5 「Jw_cad」フォルダーを閉じる

「Jw_cad」フォルダーの右上隅にある閉じるボタンをクリックして、フォルダーを閉じます。

注意！ 次の操作のため、付録CDは取り出さず、セットしたままにしてください。

SECTION

03 作図練習の準備を整えよう

　本書で使う練習用ファイルは、付録CDの「Sample」フォルダーにまとめて収録してあります。付録CDから「Sample」フォルダーをパソコンにコピーしましょう。コピー先は、Jw_cadをインストールした「JWW」フォルダーです。付録CDがセットされている状態から説明します。

➡ 付録CDから練習用ファイルをコピーする

1 付録CDを表示した画面に移動

開いたままになっている付録CDの内容を表示した画面を使います。閉じてしまった場合はエクスプローラーを開き、付録CDを開きます。

▶ p.19

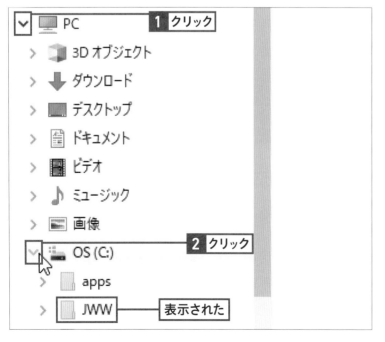

2 「JWW」フォルダーを表示する

左側のツリー表示で「PC」の矢印をクリック、その下の「OS（C:）」の矢印をクリックして内容を表示し、「JWW」フォルダーが見えるようにします。クリックはしません。

> 補足 「JWW」フォルダーが見えない場合は、ツリー表示右側に表示されるスクロールバーをドラッグして探してください。

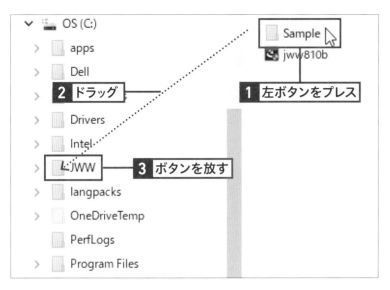

3 「Sample」フォルダーをドラッグ

「Sample」フォルダーを、ツリー表示されている「JWW」フォルダーまでドラッグします。「Sample」フォルダーが「JWW」フォルダーにコピーされます。

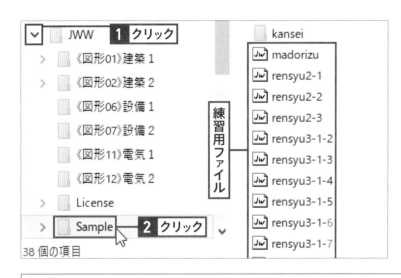

4 ファイルのコピーを確認

「JWW」フォルダーの矢印をクリックすると、「Sample」フォルダーが表示されます。「Sample」フォルダーをクリックし、右側に「kansei」フォルダーと練習用ファイルが表示されればコピーは成功です。

補足 練習用ファイルの入った「Sample」フォルダーは「ドキュメント」やデスクトップにコピーしてもかまいませんが、本書では「JWW」フォルダーにファイルをコピーします。

5 ウィンドウを閉じる

右上隅の閉じるボタンをクリックして、付録CDの画面を閉じます。

注意! 付録CDはもう使わないので、パソコンのDVD/CDドライブ装置から取り出し、大切に保管してください。
▶ p.17

01 Jw_cadを起動する

　Jw_cadおよび練習用ファイルを使う準備が整いました。さっそくJw_cadを起動してみましょう。

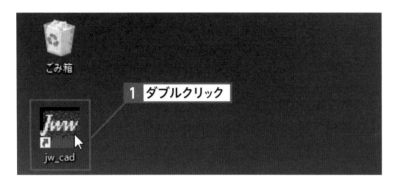

1 ショートカットを使う

デスクトップに作ったJw_cad起動用のショートカットアイコンをダブルクリックします。

▶ p.25

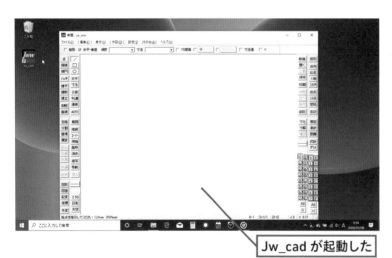

2 Jw_cad が起動した

Jw_cadが起動します。起動時には新しい図面ファイルがつくられて、開きます。

Jw_cad が起動した

→ Jw_cad の画面構成

　これはまだ何も作図されていない図面で、パソコンにも保存されていませんが、仮の図面ファイル名「無題」が自動的に付けられます。図は、インストール直後のJw_cadの標準的な画面構成です。なお、画面のサイズは使用しているディスプレイのサイズなどによって異なります。

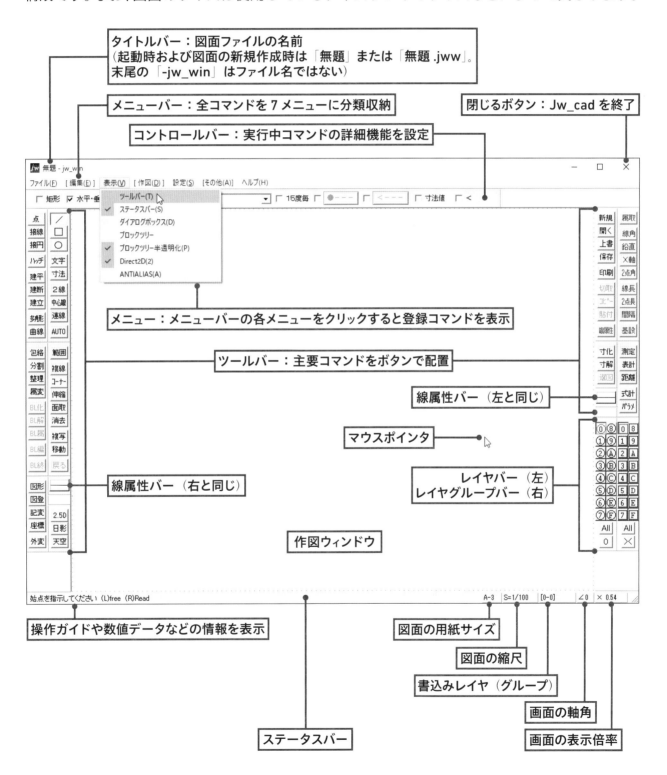

タイトルバー：図面ファイルの名前
（起動時および図面の新規作成時は「無題」または「無題.jww」。
末尾の「-jw_win」はファイル名ではない）

メニューバー：全コマンドを7メニューに分類収納

閉じるボタン：Jw_cadを終了

コントロールバー：実行中コマンドの詳細機能を設定

メニュー：メニューバーの各メニューをクリックすると登録コマンドを表示

ツールバー：主要コマンドをボタンで配置

線属性バー（左と同じ）

マウスポインタ

線属性バー（右と同じ）

レイヤバー（左）
レイヤグループバー（右）

作図ウィンドウ

操作ガイドや数値データなどの情報を表示

図面の用紙サイズ

図面の縮尺

書込みレイヤ（グループ）

画面の軸角

画面の表示倍率

ステータスバー

02 Jw_cadの基本設定と終了

Jw_cadはユーザーの多様な使い方に応じるため、操作時の設定をある程度自分で決められるようになっています。ここでは、本書の説明に沿ってJw_cadを使うための設定を行います。その後Jw_cadをいったん終了してみましょう。

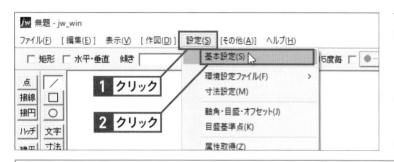

1 基本設定を開く

メニューバーの「設定」をクリックし、メニューが開いたら「基本設定」をクリックします。

補足 ソフトへの指示にあたる「コマンド」の選択は、画面左右にあるツールバー（▶p.29）のボタンのクリックでも行えます。「**基本設定**」コマンドは、右のツールバーにある「基設」ボタンです。以降、ツールバーのボタンがあるコマンドの選択は、原則としてツールバーで行います。

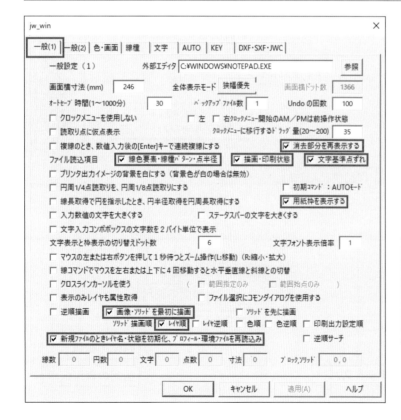

2 「一般（1）」タブの設定

基本設定を行う「jw_win」ダイアログの「一般（1）」タブが開きます。「一般（1）」タブでは、図に赤枠で示した8項目にチェックが付いているか確認します。なければクリックしてチェックを付けます。

補足 チェックの有無で設定する項目を「チェックボックス」と呼びます。チェックがない時にクリックするとチェックが付き、チェックがある時にクリックするとチェックが消えます。

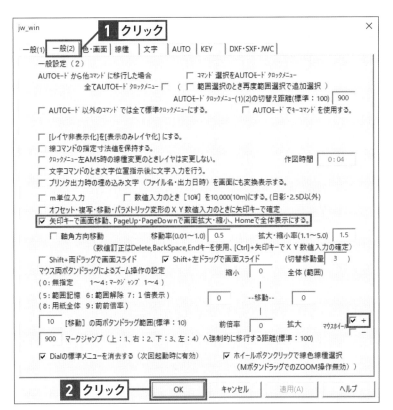

3 「一般（2）」タブの設定

「一般（2）」タブをクリックし表示します。手順2と同様に、図に赤枠で示した2項目のチェックを確認します。「OK」をクリックして、ダイアログを閉じます。

> 補足 「jw_win」ダイアログで決めた設定は、あらためてJw_cadを起動して「無題.jww」を新規作成しても、作図済みの別の図面ファイルを開いても変わりません。再設定するまでずっと引き継がれます。

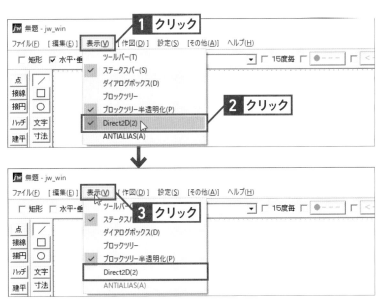

4 「Direct 2D」を無効にする

メニューバーの「表示」をクリックし、メニューが開いたら、左側にチェックが付いている「Direct 2D」をクリックします。再度メニューバーの「表示」をクリックし、メニューが開き、「Direct 2D」左側のチェックが消えていることを確認します。

5 Jw_cad の終了

Jw_cadのウィンドウの閉じるボタンをクリックして、Jw_cadを終了します。

> 補足 「ファイル」メニューの「Jw_cadの終了」でも終了できますが、閉じるボタンの方が簡単です。

ホームページから
Jw_cadをダウンロードするには

　Jw_cad の公式ホームページには，最新バージョンの Jw_cad のインストーラー（Jw_cad を Windows パソコンにインストールするためのファイル）が公開されています。ここではホームページから Jw_cad のインストーラーをダウンロードする方法を説明します。

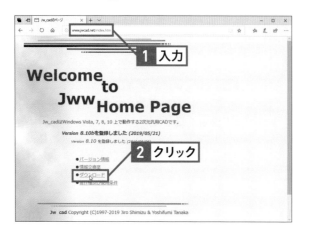

1 「Edge」や「Google Chrome」などのウェブブラウザ（ウェブページを閲覧するためのソフト）を使って、インターネットに接続します。画面上部にあるURLボックスに「http://www.jwcad.net/」と入力しJw_cadの公式ホームページを開きます。「ダウンロード」という文字をクリックします。

> 補足 「Google」などの検索エンジンで「Jw_cad」と入力して検索すると、「Jw_cadのページ」と表示されるのが公式ホームページです。

2 ダウンロードページが開いたら、「jwcad.net」という文字をクリックします。

> 注意！ 2020年3月現在、Jw_cadの公式ホームページからはバージョン8.10bと7.11をダウンロードできます。本書では8.10bを使うので、ここでは8.10bの方を選択しています。

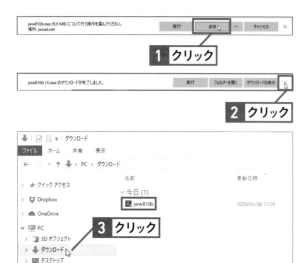

3 画面下端にダウンロードしたファイルの処理を指定するダイアログが開くので、「保存」ボタンをクリックし、表示が切り替わったら×ボタンをクリックします。インストーラーが「ダウンロード」フォルダーに保存されます。

> 補足 保存したファイルはp.20の方法でインストールできます。なお、ダウンロードしたファイルの保存場所は、使用しているOSやウェブブラウザによって異なります。

図形を作図する

01 直線をかこう

どんなに複雑な図面でも建築の場合はほとんどが直線の組み合わせです。ここでは図形の基本となる直線のかき方を説明します。図面の作図開始時に最初に行うことは、図面の用紙サイズと縮尺の設定です。まず、用紙サイズを「A4」、縮尺を「1/50」に設定します。

▶ 用紙サイズの設定

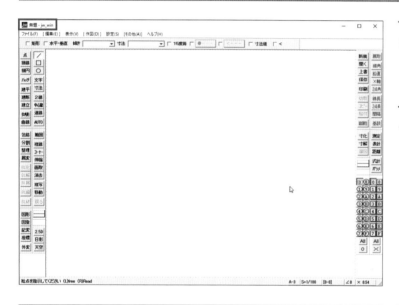

1 新規ファイルを開く

Jw_cadを起動して、新規図面ファイル「無題（.jww）」を開きます。

▶ p.28

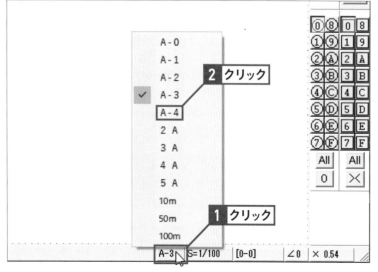

2 用紙サイズを設定

ステータスバーの用紙サイズボタンをクリックして、用紙サイズのメニューを表示します。「A－4」をクリックします。

補足 用紙は横置きに設定されます。

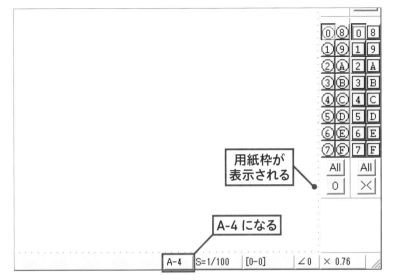

用紙枠が
表示される

A-4 になる

3 用紙サイズが A4になった

ステータスバーの用紙サイズボタン
が「A-4」に変更されます。

> 補足 作図ウィンドウの端に表示された
> 薄いピンク色の点線枠を「用紙枠」と呼
> びます。これは、基本設定の「一般（1）」
> タブの「用紙枠を表示する」 ● p.30に
> チェックを付けておかないと表示されま
> せん。

➡ 縮尺の設定

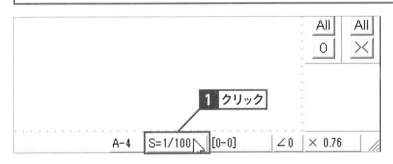

1 クリック

1 縮尺設定の ダイアログを表示

ステータスバーの縮尺ボタンをク
リックし、「縮尺・読取　設定」ダイ
アログを開きます。

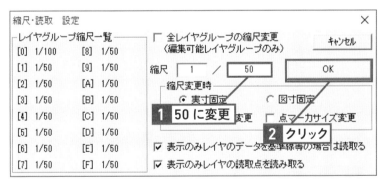

2 縮尺を設定

「縮尺」欄の分母ボックスを「50」
に変更します。キーボードから
「50」と半角数字で入力し、「OK」を
クリックします。

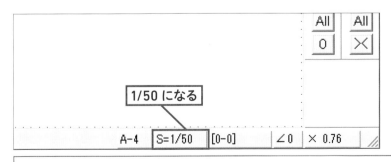

1/50 になる

3 縮尺が1／50になった

ステータスバーの縮尺ボタンが
「S=1/50」に変更されたことを確認
します。

> 補足 図面の作図では通常、各部寸法を等比率で縮小してかきます。現物と図面の寸法比のことを「尺度」と呼び、
> 図面を縮小して表現する場合はそれを「縮尺」と呼びます。

01 図面ファイルに名前を付けて保存する

■ 練習用ファイル　なし

　用紙サイズと縮尺を設定したら、名前を付けて保存しましょう。なお、図面ファイルの保存方法には2種類あります。初めて図面を保存する場合や名前を変えて保存する場合は「名前を付けて保存」（新規保存）コマンドを使います。2度目以降の保存では、「上書き保存」（更新）コマンドを使います❯ p.41。適切に使い分けてください。

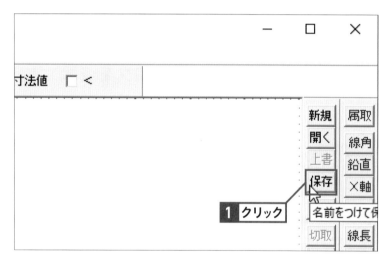

1 名前を付けて保存コマンドを実行

右のツールバーの「保存」ボタン（「ファイル」メニュー→「名前を付けて保存」）をクリックします。本書で作図する図面ファイルは「jww」フォルダーにコピーした「Sample」フォルダーの中にある「kansei」フォルダーに保存します。

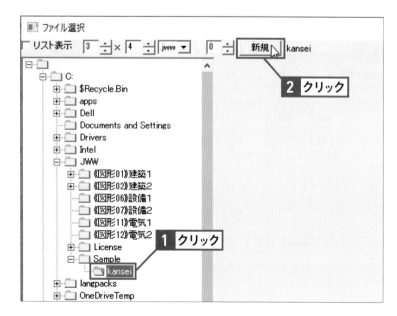

2 保存場所を選ぶ

「ファイル選択」ウィンドウが開きます。左側のツリー表示で「Sample」フォルダーの+をクリックし、「kansei」フォルダーをクリックしたら、「新規」ボタンをクリックします。

補足 フォルダーが選択されていると、フォルダーのアイコンが開きます。

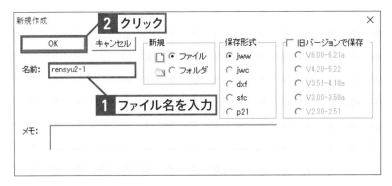

3 名前を付ける

「新規作成」ダイアログが開きます。「名前：」ボックスにファイル名（ここでは半角英数字で「rensyu2-1」）を入力し、「OK」をクリックします。

補足 図面ファイル名には全角、半角、日本語、英語、数字など、ほとんどの文字が使えます。ただし、記号は先頭に使えないものがあります。

4 ファイル名が変更された

作図画面に戻ります。タイトルバーの図面ファイル名が入力した名前に変わっていることを確認します。

補足 手順2の「ファイル選択」ウィンドウは、名前を付けて保存する時と既存のファイルを開く時（▶ p.48）に表示されます。

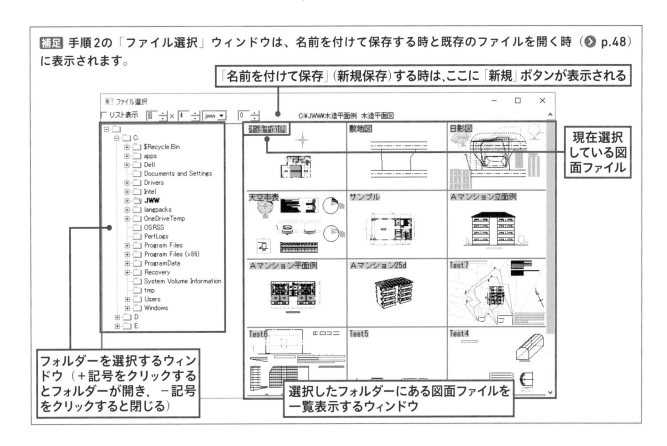

02 任意の直線をかく

■ 練習用ファイル「rensyu2-1」

それでは、前項で保存した「rensyu2-1」ファイルに線コマンドで直線をかいてみましょう。まず、任意の線をかきます。

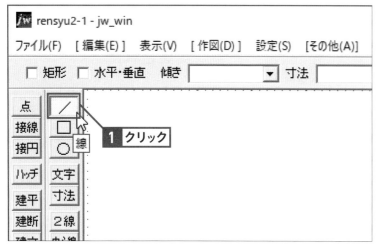

1 線コマンドを実行

ツールバーの「／」ボタン（「作図」メニュー→「線」）をクリックします。

補足 コマンド実行中はボタンが凹んでいます（手順2画面参照）。

2 コントロールバーの空欄を確認

作図ウィンドウの上にあるコントロールバー（ p.29）がすべて空欄であることを確認します。空欄でなかった場合は、すべて空欄にしてください。数値入力ボックスはBackspaceキーを使って空欄にします。

補足 コントロールバーには現在選択されているコマンドの機能をコントロール（設定）する項目が配置されています。コントロールバーの表示はコマンドごとに変化します。

3 始点を決める

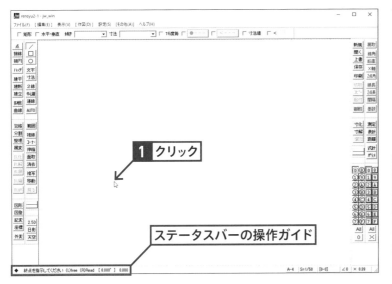

ステータスバーの操作ガイドに従って、線の始点にする任意の位置（図のあたり）をクリックします。

> **補足** ステータスバーの左端には、現在実行しているコマンドの次の操作内容が表示されます。ここでは「終点を指示してください（L）free（R）Read」となっています。これは、「次に行う操作は、線の終点を指示することです」という意味です。ステータスバーの操作ガイドは常に参照・確認するようにしましょう。

4 線をかく

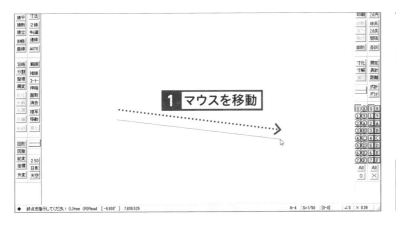

マウスを右方向に動かすと、始点からマウスポインタまで追従する仮線（赤い線）が表示されます。

> **注意!** ここではボタンを押さずにマウスを移動します。

5 終点を決める

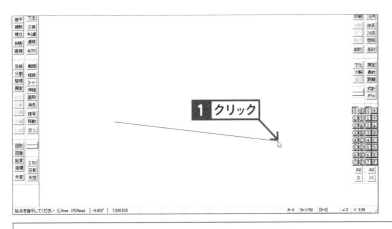

線の終点にする任意の位置をクリックします。線の色が黒に変わり、確定します。

> **補足** 終点をクリックするとステータスバーの操作ガイドが「始点を指示してください（L）free（R）Read…」に変わります。線をかき終えたので、再び次の線の始点を指示待ちする状態になったのです。このようにJw_cadの作図コマンドの多くは、1つの作図を終えると、引き続き同じ作図をするモードが繰り返されます。

> 始点を指示してください (L)free (R)Read ［ -10.101°］　8,118.115

03 端点から直線をかく

■ 練習用ファイル「rensyu2-1」

　Jw_cadには右クリックで点の位置を読み取る機能があります。これを使って前項でかいた線につながる直線をかいて、上書き保存してみましょう。前項に引き続いて練習用ファイル「rensyu2-1」を使います。

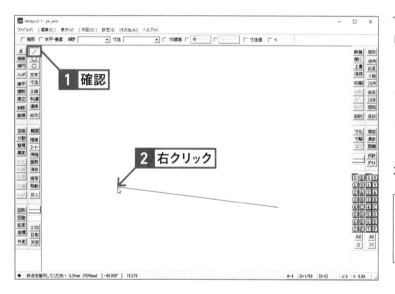

1 端点を読み取る

ツールバー「／」が選択されている（ボタンが凹んでいる）ことを確認します。前項でかいた線の左端点を右クリックします。

> 補足 マウスポインタが左端点付近にあれば、正確に指示しなくても点を読み取れます。

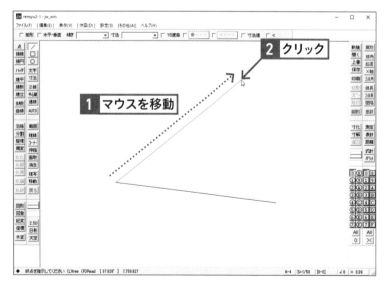

2 端点から線をかく

マウスを右上に移動し、線の終点にする位置として任意の位置（図のあたり）でクリックします。2本目の線がかけます。

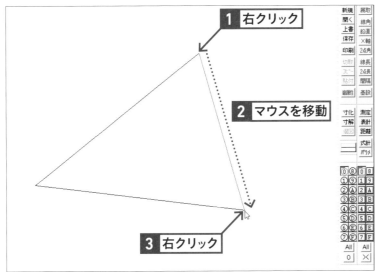

3 3本目の線をかく

続けて3本目の線をかきます。手順2でかいた線の右端点を右クリックします。マウスを移動し、終点にする位置として、最初にかいた線の右端点を右クリックします。三角形がかけました。

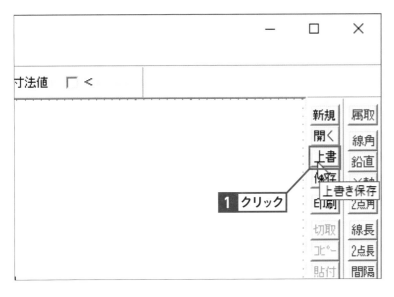

4 上書き保存する

ここで図面ファイルを上書き保存してみましょう。右のツールバーの「上書」ボタン（「ファイル」メニュー→「上書き保存」）をクリックします。

> **注意!** p.36で行った「名前を付けて保存」とは違い、上書き保存は現在の図面ファイル名のまま内容を更新します。

> **補足** ステータスバーの「（L）free（R）Read」という記述は、（左）クリックは任意点の指示、右クリックは読取点の指示をするという意味です。読取点とは、線の端点や図形の頂点、交点などの読み取り可能な点のことを指します **→** p.62。
>
> 始点を指示してください（L)free（R)Read ［-10.101°］ 8,118.115

04 いろいろな直線のかき方

■ 練習用ファイル「rensyu2-1」

　ここでは水平線／垂直線や長さ、角度を指定した線のかき方を説明します。ここまで使用した練習用ファイル「rensyu2-1」の空いているところにかいて練習しましょう。

→ 水平線／垂直線をかく

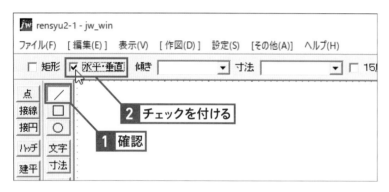

1 水平・垂直モードに設定

ツールバー「／」が選択されていることを確認します。コントロールバー「水平・垂直」をクリックしてチェックを付けます。

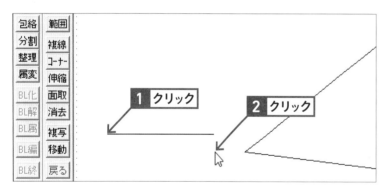

2 水平線をかく

始点にする任意の位置をクリックします。マウスを右に移動して終点の位置まで線が伸びたらクリックします。水平線がかけました。

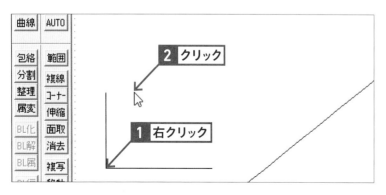

3 垂直線をかく

水平線の左端点を右クリックし、マウスを上に移動します。終点の位置まで線が伸びたらクリックします。水平線につながる垂直線がかけました。

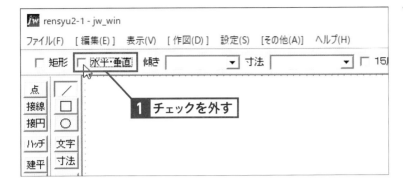

4 水平・垂直モードを解除

コントロールバー「水平・垂直」を
クリックしてチェックを外します。

➡ 長さ（寸法）を指定した線をかく

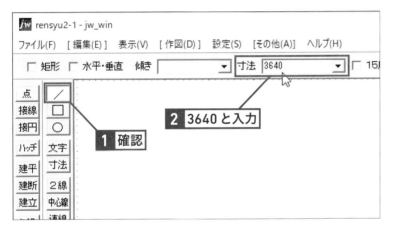

1 寸法を指定する

ツールバー「／」が選択されている
ことを確認します。コントロール
バー「寸法」に線の長さを入力しま
す（ここでは「3640」mm）。

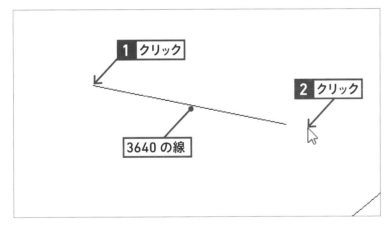

2 線をかく

始点にする任意の位置をクリックす
ると、仮線が始点から3640の寸法
で表示されます。終点にする任意の
位置をクリックします。長さを指定
した線がかけました。

> 補足 線の寸法が決まっているので、終
> 点のクリックは線の方向を決める指示に
> なります。

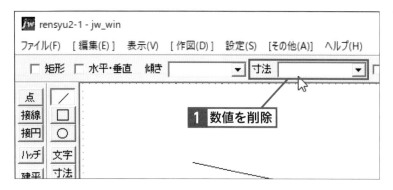

3 寸法の数値を削除する

コントロールバー「寸法」の数値を
Backspaceキーを押して削除します。

➡ 角度（傾き）を指定した線をかく

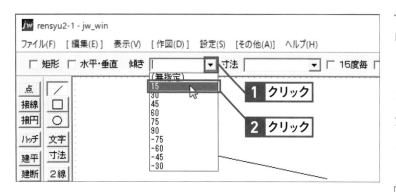

1 角度を指定する

コントロールバー「傾き」に、これ
からかく線の角度を入力します。こ
こではメニューから「15」を選択
します。

補足 線の傾きとは、画面水平右方向を0°
とした角度のことです。指定する数値が
＋の場合は反時計回り、－の場合は時計
回りになります。

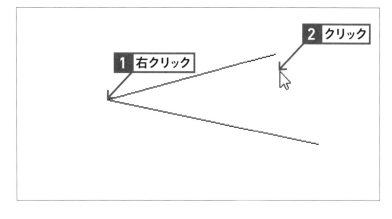

2 線をかく

始点として先ほどかいた3640の線
の左端点を右クリックします。マウ
スを移動すると15°の仮線が2通り
表示されます。ここではマウスを右
方向に動かし、終点の位置まで線が
伸びたらクリックします。

補足 左にマウスを移動して表示される
線は、本来は-165°（195°）の指定です
が、Jw_cadでは便宜的に2通り選べる
ようになっています。

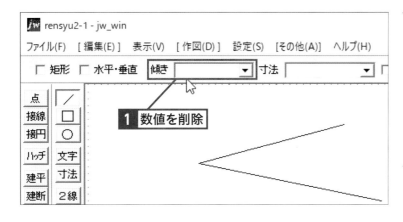

1 数値を削除

3 傾きの数値を削除して保存する

コントロールバー「傾き」の枠内をクリックして数値「15」を選択したら、Backspaceキーを押して数値を削除します。右のツールバーの「上書」ボタンをクリックしてファイルを保存します→ p.41。

補足 コントロールバーの数値入力ボックスには数値をキーボードからキー入力しますが、代表的な値や過去に入力した値は保持しています。ボックス右端の▼ボタンをクリックすると図のような数値メニューが表示されるので、該当の数値があればクリックします。数値を指定しない場合は空欄（Backspaceキーを押して数字を消すか、または「0」を入力）にします。メニューでは「(無指定)」を選択します。

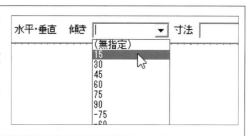

線コマンドのコントロールバーのその他機能

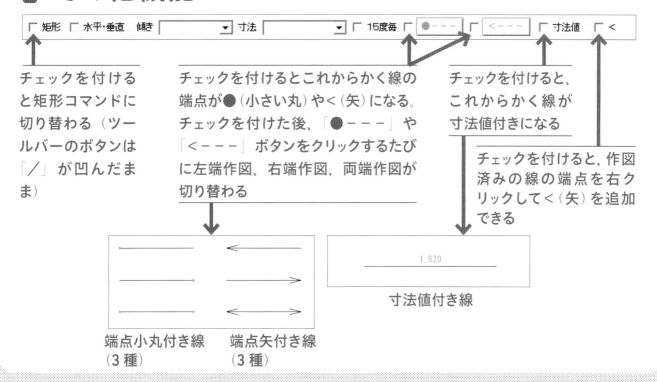

チェックを付けると矩形コマンドに切り替わる（ツールバーのボタンは「／」が凹んだまま）

チェックを付けるとこれからかく線の端点が●（小さい丸）や＜（矢）になる。チェックを付けた後、「●－－－」や「＜－－－」ボタンをクリックするたびに左端作図、右端作図、両端作図が切り替わる

チェックを付けると、これからかく線が寸法値付きになる

チェックを付けると、作図済みの線の端点を右クリックして＜（矢）を追加できる

端点小丸付き線（3種） 端点矢付き線（3種）

寸法値付き線

05 直前の操作を取り消す

■ 練習用ファイル「rensyu2-1」

　CADでは作図操作がうまくいかないことも多々あります。そのような場合は「戻る」コマンドを使うと、直前に行った操作を取り消して、1操作前の状態に戻せます。ここでは、前項で練習用ファイル「rensyu2-1」を上書き保存したところから始めます。

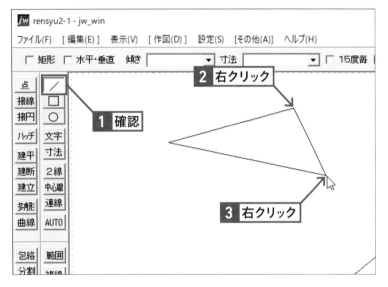

1 線をかく

ツールバー「／」が選択されていることを確認します。p.44で角度を指定した線のあたりにマウスポインタを動かし、右クリックで作図済みの線の端点間を結ぶ線をかきます。

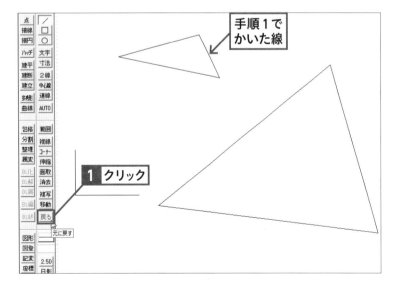

2 戻るコマンドを実行

ツールバーの「戻る」ボタン（「編集」メニュー→「戻る」）をクリックします。

> 補足 次のいずれかのキー操作を行うと、戻るコマンドを使った時と同じ状態になります。
> ・Escキーを押す
> ・Ctrlキーを押したまま、Zキーを押す

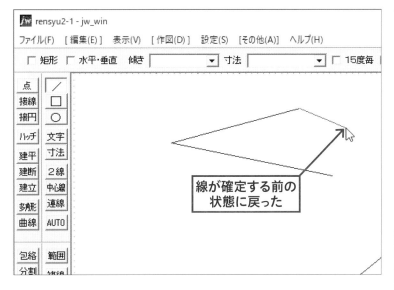

線が確定する前の
状態に戻った

3 1操作前に戻った

ここでは、図の状態に戻ります。線
の終点を右クリックで確定する前の
状態です。

右のツールバーの「上書」ボタンを
クリックして上書き保存しますp.41。

> **注意!** 1操作前の状態とは、ステータス
> バーの操作ガイドに従って行った操作結
> 果を取り消した状態です。選択している
> コマンドや作図場面によって、どの状態
> に戻るかは一様ではありません。

補足 戻るコマンドで1操作前の状態に戻った
時、「編集」メニューの「進む」を選択すると、
操作を取り消す前の状態に戻ります。
ここでは端点間を結ぶ線がかかれた状態とな
りますが、始点から仮線が出ている状態は消
えずに残ってしまいます。

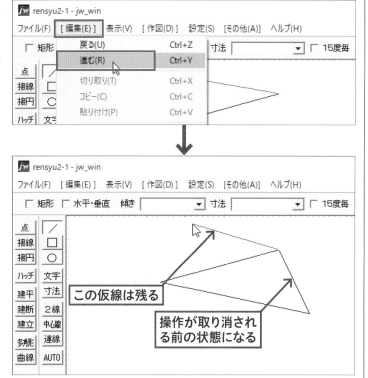

この仮線は残る

操作が取り消され
る前の状態になる

02 長方形や正方形をかこう

ここでは矩形（くけい）をかきます。「矩」は「直角」を意味する語で、矩形（くけい）は長方形と同意です。正方形は長方形の特殊な形として扱います。建築図面では柱や壁、建具・家具の姿表現などによく使われる図形です。ここでは練習用ファイル「rensyu2-2」を開き、練習を始めましょう。前項で「rensyu2-1」ファイルを上書き保存したところから始めます。

➡ 図面ファイルを開く

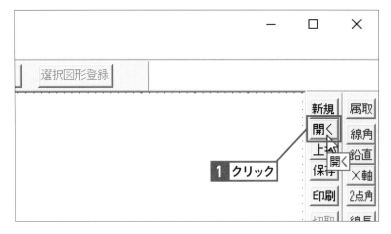

1 開くコマンドを実行

「rensyu2-1」ファイルを開いたまま、右のツールバーの「開く」ボタン（「ファイル」メニュー→「開く」）をクリックします。「ファイル選択」ダイアログが開きます。

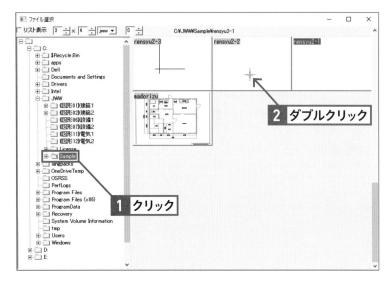

2 ファイルを選択

左側のツリー表示で1章で付録CDからコピーした「Sample」フォルダーをクリックします（➤ p.27）。右側にファイル一覧が表示されるので、「rensyu2-2」を探してダブルクリックします。

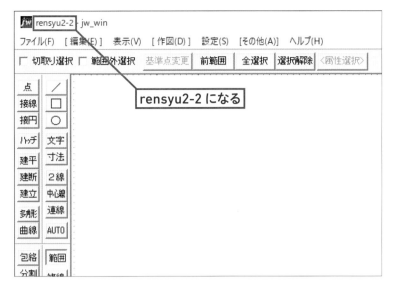

rensyu2-2 になる

3 ファイルが開いた

「rensyu2-2」ファイルが開きます。
ファイルは白紙の状態です。

注意! 開くコマンドを使って新しい図面を開くと、現在の図面は自動的に閉じます。現在の図面が最新の状態で保存されていなければ、図面の保存確認のダイアログが開きます。保存する時は「はい」、保存しない時は「いいえ」をクリックします。

補足 右のツールバーの「新規」ボタン(「ファイル」メニュー→「新規作成」)をクリックし、新規図面を開いて練習を進めてもかまいません。このコマンドを選択すると、現在の図面が閉じ、新たに図面「無題」 p.29が開きます。
前回の「rensyu2-1」ファイルを開いていれば、用紙サイズや縮尺の設定はそのまま新規図面に引き継がれます。この方法で進める場合は、最後に名前を付けてファイルを保存してください p.36。

01 任意の長方形をかく

📁 練習用ファイル「rensyu2-2」

　　矩形コマンドで任意の長方形をかきましょう。長方形は4本の線の組み合わせでかくこともできますが、矩形コマンドを使えば容易です。

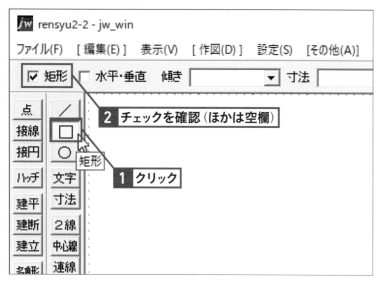

1 矩形コマンドを実行

ツールバーの「□」ボタン（「作図」メニュー→「矩形」）をクリックします。コントロールバーは、左端の「矩形」にチェックが付いている以外はすべて空欄にします。p.38の手順2で説明した方法で空欄にしてください。

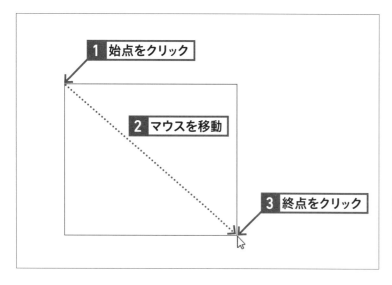

2 長方形をかく

長方形の始点にする任意の位置をクリックします。マウスを右下方向に移動し、長方形の終点にする任意の位置をクリックします。

> 補足 長方形の始点は頂点になり、終点は始点の対角線上にある頂点になります。

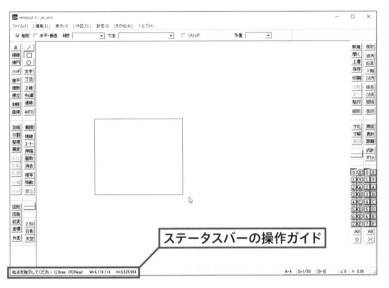

ステータスバーの操作ガイド

3 長方形がかけた

任意の長方形が作図されます。

補足 ステータスバーの操作ガイドには、今かいた長方形の寸法が表示されます。

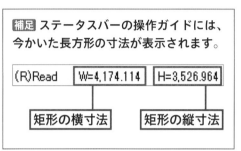

(R)Read　W=4,174.114　H=3,526.964

矩形の横寸法　　矩形の縦寸法

矩形コマンドのコントロールバーのその他機能

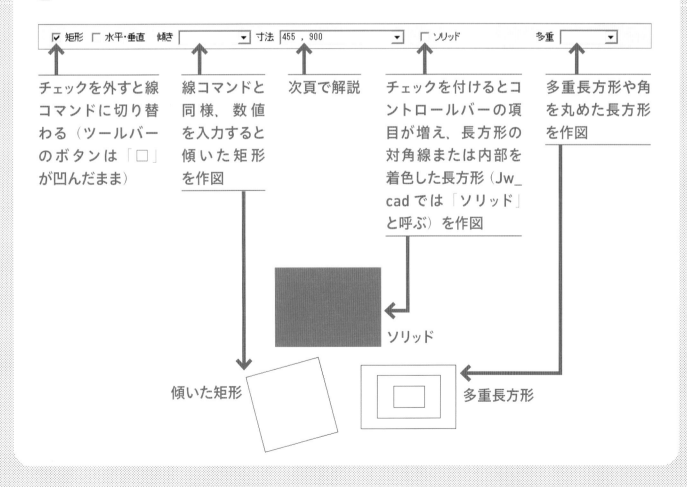

チェックを外すと線コマンドに切り替わる（ツールバーのボタンは「□」が凹んだまま）

線コマンドと同様、数値を入力すると傾いた矩形を作図

次頁で解説

チェックを付けるとコントロールバーの項目が増え、長方形の対角線または内部を着色した長方形（Jw_cadでは「ソリッド」と呼ぶ）を作図

多重長方形や角を丸めた長方形を作図

ソリッド

傾いた矩形

多重長方形

02 寸法を指定した正方形を配置する

■ 練習用ファイル「rensyu2-2」

　正方形は柱の表現などに使います。寸法（横mm×縦mm）の決まった正方形をかき、指定した位置に配置してみましょう。引き続き、「rensyu2-2」ファイルを使います。

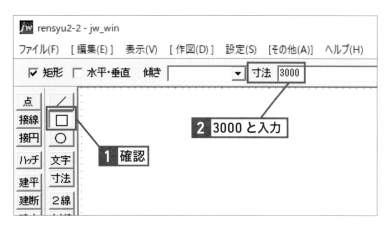

1 正方形の寸法を指定

ツールバー「□」が選択されていることを確認します。コントロールバー「寸法」に正方形の辺の寸法として数値を入力します（ここでは「3000」）。

補足 矩形コマンドのコントロールバー「寸法」には、「横，縦」の寸法として半角カンマ区切りで2数値を入力するのですが、正方形のように2数値が同値の場合は1数値のみの省略入力が可能です。「3000」と入力すれば「3000，3000」と入力したことになります。

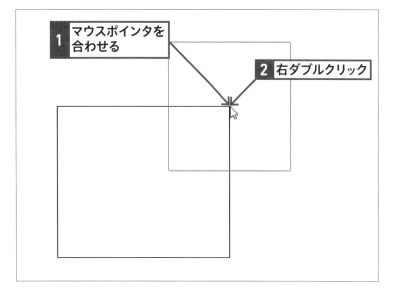

2 正方形の中心を指定位置に配置

1辺3000の正方形が仮表示されます。マウスを移動して作図済みの長方形右上頂点にマウスポインタを合わせ、右ダブルクリックします。

補足 右ダブルクリックではなく右クリックすると、読み取った点を中心として矩形の「基準点」と呼ぶ9箇所から配置位置を選択するモードに移行します（➡ 次頁）。この場合、クリック位置をどの基準点に合わせるかという指示をもう1回行います。

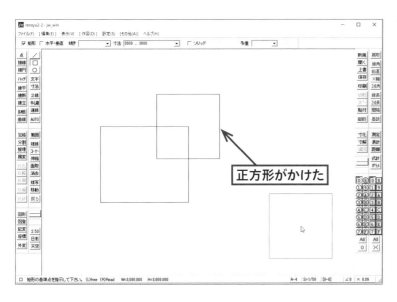

正方形がかけた

3 指定位置に正方形がかけた

長方形の頂点が中心になった1辺3000の正方形がかけました。コントロールバー「寸法」の数値をBackspaceキーを押して削除します。ここで矩形の作図は終了です。ファイルは「kansei」フォルダーに「rensyu2-2kansei」と名前を付けて保存しておきましょう p.36。

寸法指定した矩形の基準点変更

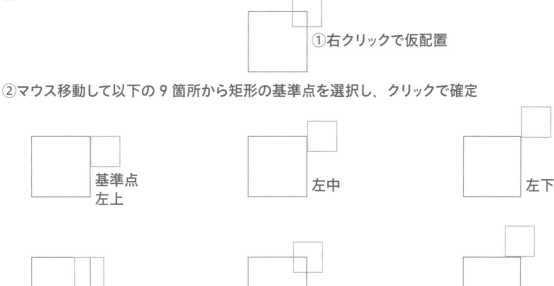

①右クリックで仮配置

②マウス移動して以下の9箇所から矩形の基準点を選択し、クリックで確定

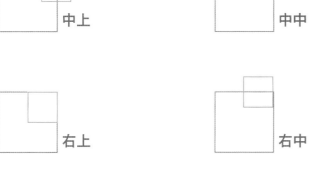

基準点
左上

左中

左下

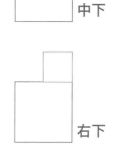

中上

中中

中下

右上

右中

右下

03 円や円弧をかこう

　ここでは円や円弧をかきましょう。円は基準記号に、円弧は扉の開閉軌跡線の表現などに使います。Jw_cadでの円や円弧の作図方法は多様で、その手順も独特ですが、ここでは建築図面の作図によく使う実用的な機能に絞って説明します。練習用ファイル「rensyu2-3」を開き、練習を始めましょう。

➡ 図面ファイルを開く

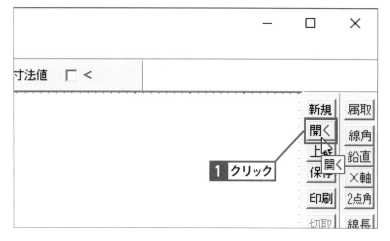

1 開くコマンドを実行

右のツールバーの「開く」ボタン（「ファイル」メニュー→「開く」）をクリックします。「ファイル選択」ダイアログが開きます。

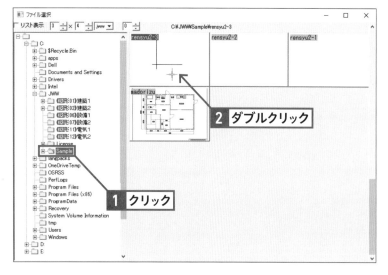

2 ファイルを選択

左側のツリー表示で1章で付録CDからコピーした「Sample」フォルダーをクリックします ➡ p.27。右側にファイル一覧が表示されるので、「rensyu2-3」をダブルクリックします。

```
jw rensyu2-3 - jw_win
ファイル(F)  [編集(E)]  表示(V)  [作図(D)]  設定(S)  [その他(A)]  ヘルプ(H)
□ 切取り選択  □ 範囲外選択  基準点変更  前範囲  全選択  選択解除  <属性選択
```

点	／
接線	□
接円	○
ハッチ	文字
建平	寸法
建断	2線
建立	中心線
多角形	連線
曲線	AUTO
包絡	範囲
分割	複線
整理	コーナー
属変	伸縮
BL化	面取
BL解	消去
BL属	複写
BL編	移動
BL終	戻る

rensyu2-3 になる

3 ファイルが開いた

「rensyu2-3」ファイルが開きます。
ファイルは十字がかかれた状態です。

補足 右のツールバーの「新規」ボタンをクリックし、新規図面（図面ファイル名は「無題」になります）を開いて練習を進めてもかまいません。新規図面から始める場合は、「rensyu2-3」ファイルと同じような十字をかいてください ▶ 次頁。
方法は次のとおりです。
①ツールバーの「／」ボタンをクリックし、コントロールバー「水平・垂直」にチェックを付けます。それ以外のコントロールバーは空欄とします。
②交差する水平線と垂直線をかきます。適当でかまいませんが、水平線の方を長くしてください。

01 任意の円をかく

練習用ファイル「rensyu2-3」

円弧コマンドで任意の円をかきます。練習用ファイル「rensyu2-3」を開いた状態から始めます。

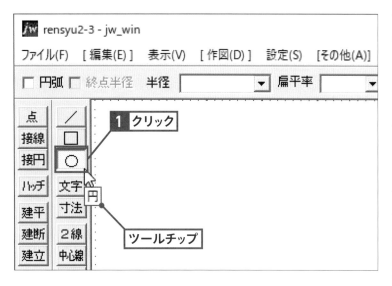

1 円弧コマンドを実行

ツールバーの「○」ボタン（「作図」メニュー→「円弧」）をクリックし、コントロールバーがすべて空欄であることを確認します。そうでない場合は、p.38の手順2で説明した方法で空欄にしてください。

補足 ツールボタンにマウスポインタを置くと表示されるツールチップには「円」と表示されますが、正式なコマンド名は「円弧」コマンドです。

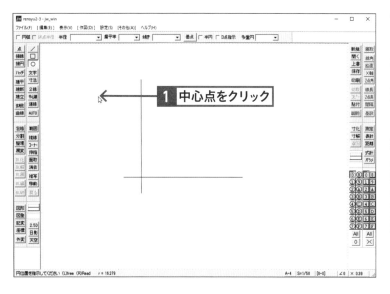

2 中心を決める

円の中心点にする任意の位置をクリックします。ここでは、交差した線の左側をクリックします。

注意! 交差した線は次項で使いますので、線にかからない位置をクリックしてください。

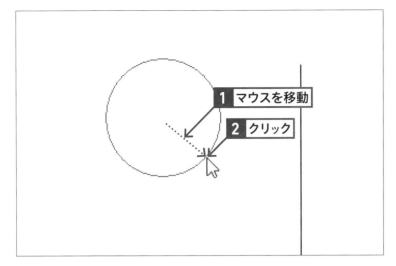

3 円の大きさを決める

マウスを移動すると円周の仮線が表示されます。任意の位置でクリックします。

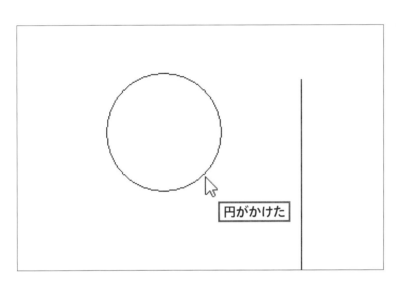

4 円がかけた

円が確定します。

02 半径を指定した円を配置する

■ 練習用ファイル「rensyu2-3」

半径を指定して円をかき、中心点を特定の位置に配置しましょう。引き続き、練習用ファイル「rensyu2-3」で練習します。

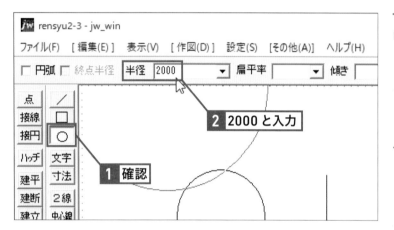

1 半径を指定

ツールバー「○」が選択されていることを確認します。コントロールバー「半径」に数値を入力します（ここでは「2000」）。

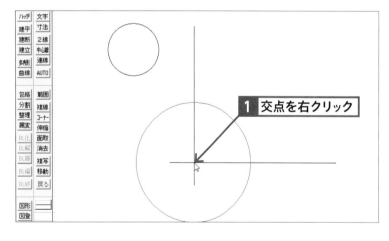

2 円の中心を指定位置に配置

半径2000の円が仮表示されます。マウスを移動して交差した線の交点を右クリックします。線の交点を円の中心とした半径2000の円が配置されました。

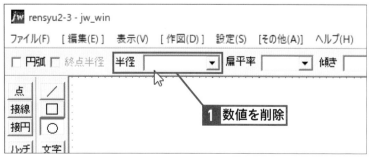

3 半径の数値を削除

コントロールバー「半径」の数値をBackspaceキーを押して削除します。

円の基準点を変更する

　p.53で紹介した矩形の基準点変更のように、半径を指定した円も基準点を変更できるようになっています。基準点の変更は円が仮表示されている状態のまま、コントロールバーの「基点」をクリックして切り替えます。

「基点」をクリックするたびに、下図に示す順でボタンの表示が切り替わります。

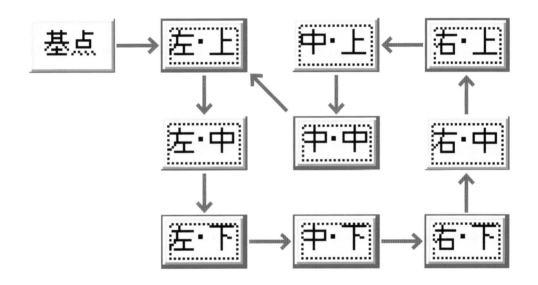

円の基準点を「左・中」に変更し、線端点に合わせると次のようになります。

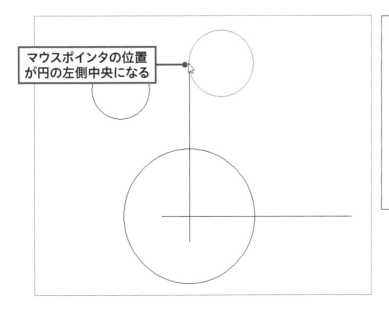

マウスポインタの位置が円の左側中央になる

> 補足 コントロールバー「半径」を無指定（空欄または0）にして任意の円や円弧をかく場合は、コントロールバー「基点」をクリックしても「中央」と「外側」にしか切り替わりません。円の作図時に最初に指示する位置を中央（中心点）にするか、外側（円周点）にするかを選択するだけの機能になります。初期設定は「中央」です。

03 円弧をかく

■ 練習用ファイル「rensyu2-3」

　ここでは2本の直線の交点を円弧の中心とし、垂直線上端点から水平線までの円弧をかいてみましょう。引き続き、「rensyu2-3」ファイルを使います。

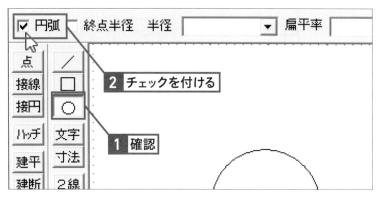

1 円弧モードに設定

ツールバー「○」が選択されていることを確認します。コントロールバー「円弧」をクリックしてチェックを付けます。

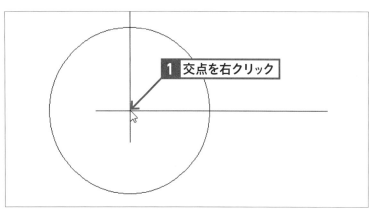

2 円弧の中心を指定

円弧の中心点として、2本の直線の交点を右クリックします。

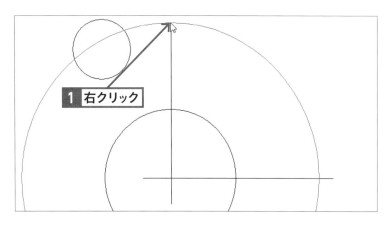

3 円弧の始点を決める

マウスを移動すると仮の円が表示されます。円弧の始点として垂直線の上端点を右クリックします。

補足 直線の交点から垂直線の上端点までが円弧の半径になります。

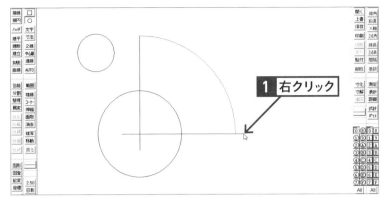

4 円弧の終点を決める

マウスを移動し、円弧の終点として水平線の右端点を右クリックすると、水平線までの円弧が確定します。

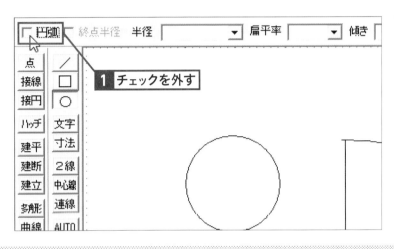

5 円弧モードを解除

コントロールバー「円弧」をクリックし、チェックを外します。ここで円／円弧の作図は終了です。ファイルは「kansei」フォルダーに「rensyu2-3kansei」と名前を付けて保存しておきましょう➡ p.36。

円弧コマンドのコントロールバーのその他機能

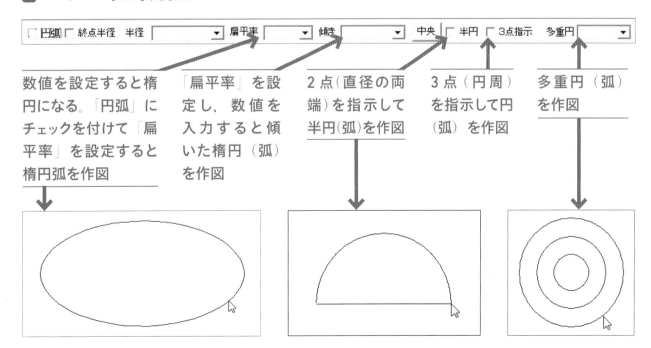

数値を設定すると楕円になる。「円弧」にチェックを付けて「扁平率」を設定すると楕円弧を作図

「扁平率」を設定し、数値を入力すると傾いた楕円（弧）を作図

2点（直径の両端）を指示して半円(弧)を作図

3点（円周）を指示して円（弧）を作図

多重円（弧）を作図

右クリックで読み取れる点の例

線の端点

図形の頂点

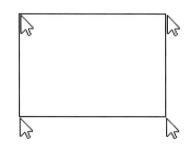

円弧の端点

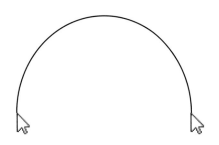

線の交点

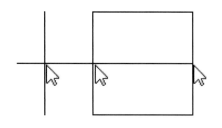

線や円弧の交点

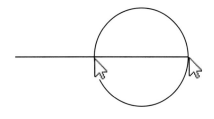

線や円弧の接点

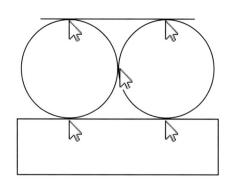

文字枠の左下・右下にある文字基点

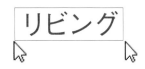

赤い枠や線は文字記入時の「文字枠」。
この文字枠は作図済みの文字には表
示されていないので読取点が見えず、
右クリックが難しい

3

文字と寸法をかく

01 文字をかこう

　建築図面では、文字は、室名、通り芯記号、図面名、説明などに使います。文字は、「文字」コマンドを使ってかきます。Jw_cadで図面に文字を入力する前に、Windowsでの文字入力を簡単におさらいしておきましょう。ここでは日本語入力システム「Microsoft IME」を使って説明します。

➡ 入力モードと半角／全角

　タスクバーの通知領域に表示されている「入力モード」を確認して「ひらがな」モードになっているかを確認しましょう。「入力モード」をクリックするたびに「ひらがな」モードと「半角英数」モードに切り替わります。「入力モード」を右クリックするとメニューが表示され、5種類の入力モードが選択できます。

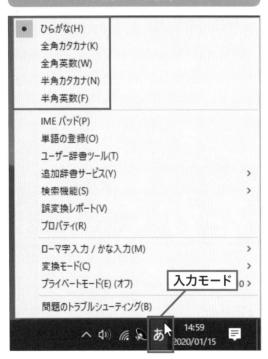

入力モードを右クリックするとメニューが表示される。上方の「ひらがな」から「半角英数」までが入力モードの項目

「ひらがな」モード
入力例：あいうえおかきくけこ…

「全角カタカナ」モード
入力例：アイウエオカキクケコ…

「全角英数」モード
入力例：ａｂｃｄｅｆｇｈｉｊｋ…

「半角カタカナ」モード
入力例：ｱｲｳｴｵｶｷｸｹｺ…

「半角英数」モード
入力例：abcdefghijk…

　文字を入力する時には、一般的に日本語なら全角、英数字なら半角が使われます。文章のなかに日本語と英数字が混在する時は、タスクバーの入力モードで切り替えてもよいのですが、キーボードの「半角/全角」キーを押して切り替えると簡単です。

> 補足 日本語を入力しようとしたのにアルファベットで表示される場合は、必ず入力モードを確認しましょう。

ローマ字入力とかな入力

　日本語の入力方法には、「ローマ字入力」と「かな入力」の2種類があります。入力方法としては「ローマ字入力」が主流です。本書でも「ローマ字入力」で解説していきます。

ローマ字入力とかな入力の違い

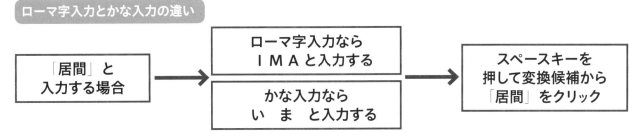

　ローマ字入力か、かな入力かを確認する時は、「入力モード」を右クリックし、メニューから「ローマ字入力 / かな入力」をクリックします。表示されたサブメニューに●（黒丸）がついているほうが現在の入力設定です（下の図ではローマ字入力）。このサブメニューの選択で入力方法を切り替えられます。

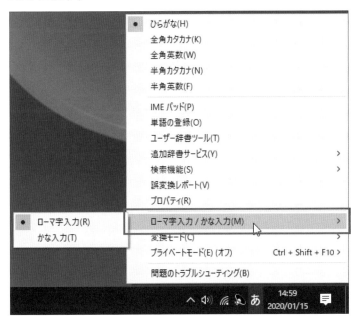

01 文字をかく

■ 練習用ファイル　なし

「文字」コマンドを使って文字をかいてみましょう。

1 新規図面を開く

ツールバーの「新規」ボタンをクリックして新規図面（「無題」）を開きます。

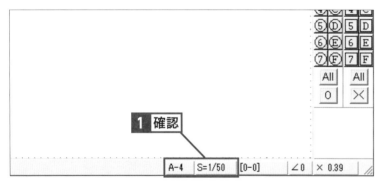

2 用紙と縮尺を確認

ステータスバーで用紙サイズ「A－4」、縮尺「S=1/50」を確認（または設定）します。

3 文字コマンドを実行

ツールバーの「文字」ボタン（「作図」メニュー→「文字」）をクリックします。

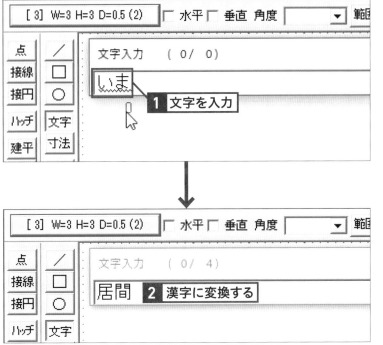

4 文字を入力

「文字入力」ボックスが開きます。ここに「居間」と入力します。

補足 「文字入力」ボックスには他に「フォント」ボックスと「フォント読取」があります。初期設定のフォントは「MSゴシック」で、「フォント」ボックスの▼をクリックして表示されるメニューから変更できます。なお、「フォント読取」にチェックを入れると、作図済みの文字のフォントを読み取ることができます。

「フォント」ボックス──

「フォント読取」

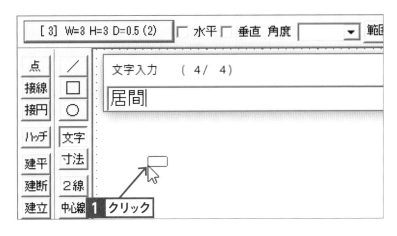

5 文字の位置を指定

マウスポインタの先に文字列全体を示す仮の文字枠が表示されます。この枠を文字をかく位置に移動してクリックします。

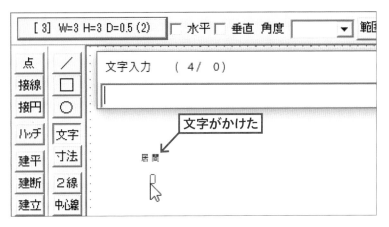

6 文字がかけた

クリックした位置に文字が表示されます。ここではかなり小さく表示されたので、次項で拡大してみます。

02 拡大表示と用紙全体表示

■ 練習用ファイル「rensyu3-1-2」

　CADで作図する場合は画面の一部を拡大表示したり、縮小して広い範囲を見たりすることを頻繁に行います。Jw_cadではこのような画面表示をマウスの両ドラッグで操作します。先ほど入力した「居間」の文字付近の画面を拡大表示したり、用紙全体を表示したりしてみましょう。前項で文字をかいた状態から始めます。ここから始める方は上記練習用ファイルを開いてください。

➡ 拡大表示

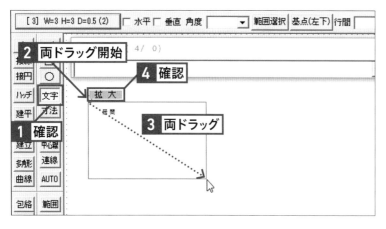

1 拡大したい範囲を選択

ツールバー「文字」が選択されていることを確認します。拡大したい範囲を右下方向に両ドラッグする⊘ p.15と、「拡大」と表示されます。

2 選択範囲が拡大された

ボタンを放すとドラッグで指定した選択範囲が現在の作図ウィンドウの縦横比のもとで最大になるよう、画面表示が拡大されます。

補足 画面を拡大表示すると、用紙枠が見えなくなる（作図ウィンドウの外側に隠れる）場合があります。

→ 用紙全体表示

1 右上に両ドラッグ

任意の位置で右上方向に少し両ド
ラッグ▶ p.15すると、「全体」と表
示されます。

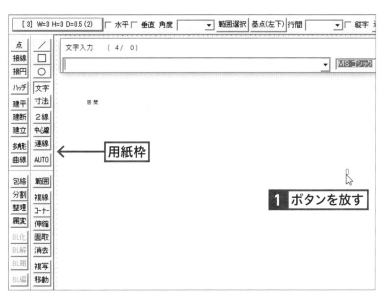

2 用紙全体が表示された

ボタンを放すと作図ウィンドウに用
紙全体が表示されます。用紙枠が作
図ウィンドウの端に表示されている
のがわかります。

補足 その他の画面表示操作

●縮小表示操作: 左上方向に両ドラッグ（またはマウスホイールボタンの前方回転）

任意の位置で左上方向に少し両ドラッグすると、「縮小」と表示されます。画面が1/2に縮小され、ドラッグ位置
が画面の中心になります。

● 移動操作: 両クリック（またはマウスホイールボタンのクリック）

画面の中心にしたい位置で両クリックすると、「移動」と表示されてクリック位置が画面の中心になります。

03 文字をかき換える

■ 練習用ファイル「rensyu3-1-3」

前項でかいた文字「居間」を「リビング」に変更してみましょう。前項で画面を拡大表示した状態から始めます。ここから始める方は上記練習用ファイルを開いてください。

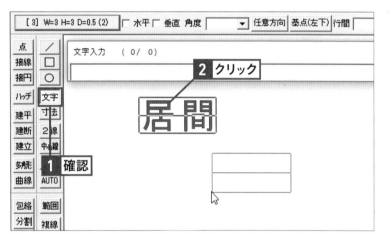

1 変更する文字を選択

ツールバー「文字」が選択されていることを確認します。文字「居間」をクリックします。文字が選択されてピンク色になります。

2 「文字変更・移動」ボックスに変わった

「文字入力」ボックスが「文字変更・移動」ボックスに変わり、クリックした文字「居間」が表示されます。

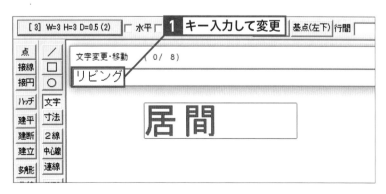

3 文字を入力

「文字変更・移動」ボックスの「居間」という文字をBackspaceキーまたはDeleteキーで消してから「リビング」と入力します。

「リビング」になった

4 入力した文字になった

キーボードのEnterキーを押すと、文字がかき換えられます。文字位置も変更したい時は、Enterキーを押す前に変更位置にマウスポインタを移動してクリックします。

文字コマンドのコントロールバーの文字種ボタン

　コントロールバーの左端にある「[3] W=3 H=3 D=0.5 (2)」と表示されたボタンが、これからかく文字の種類を示しています。本書ではこれを「文字種ボタン」と呼びます。

　初期設定は文字種 [3] で、数字が大きくなるほど文字が大きくなります。文字種ボタンをクリックして開く「書込み文字種変更」ダイアログで文字種を設定（変更）できますが、本書ではすべての文字を文字種 [3] の設定でかきます。

ボタンをクリックすると「書込み文字種変更」ダイアログが開く

文字の種類の番号（文字種）を表示。初期設定は文字種 [3]

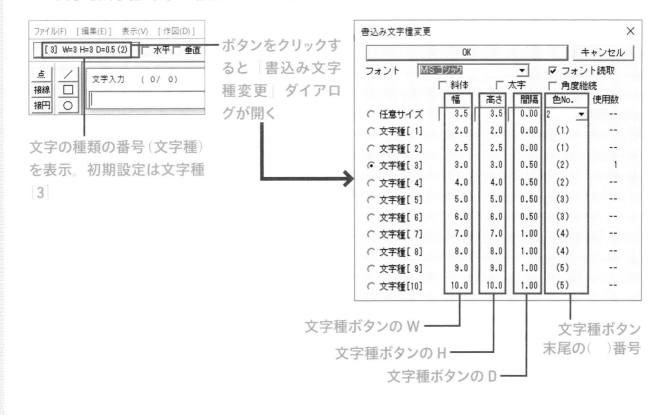

文字種ボタンのW

文字種ボタンのH

文字種ボタンのD

文字種ボタン末尾の（　）番号

04 文字の移動や複写を行う

■ 練習用ファイル「rensyu3-1-4」

　前項で変更した文字「リビング」を別の位置に移動や複写しましょう。文字付近の画面を拡大表示した状態から始めます。ここから始める方は上記練習用ファイルを開いてください。

➡ 文字の移動

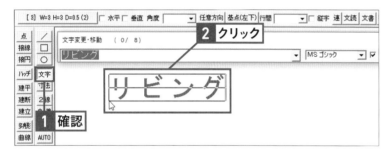

1 移動する文字を選択

ツールバー「文字」が選択されていることを確認します。文字「リビング」をクリックします。文字が選択されてピンク色になります。

2 「文字変更・移動」ボックスにかわった

「文字入力」ボックスが「文字変更・移動」ボックスに変わり、クリックした文字「リビング」が表示されます。

3 移動先の位置をクリック

マウスを移動して任意の位置でクリックします。文字が移動します。

➡ 文字の複写

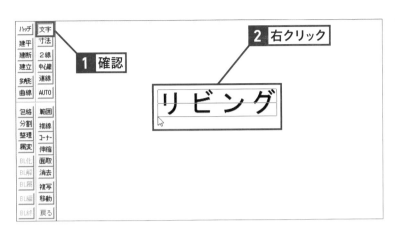

1 複写する文字を選択

ツールバー「文字」が選択されていることを確認してから、文字「リビング」を右クリックします。

> 補足 文字を複写する場合は、文字を右クリックで指示します。

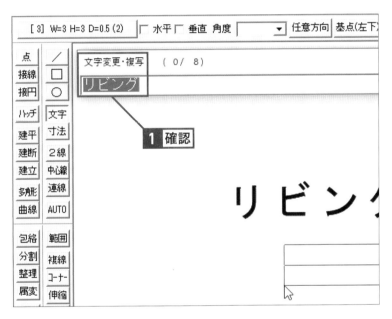

2 「文字変更・複写」ボックスにかわった

「文字入力」ボックスが「文字変更・複写」ボックスに変わり、右クリックした文字「リビング」が表示されます。

> 補足 右クリックしても文字は選択色のピンク色になりません。複写の場合は元の文字がそのまま残るため、変更・移動の場合とは表示が違います。

3 複写先の位置をクリック

マウスを移動して任意の複写先をクリックします。文字が複写されます。ここまでのファイルを「rensyu3-1-4kansei」と名前を付けて保存しておきましょう➡ p.36。

05 指定点に文字を配置する

📁 練習用ファイル「rensyu3-1-5」

　矩形や円と同じように、交点や端点などに合わせて文字を配置できます。ここではかいた文字を図形の対角線の交点に合わせて配置してみましょう。練習用ファイル「rensyu3-1-5」を使います。

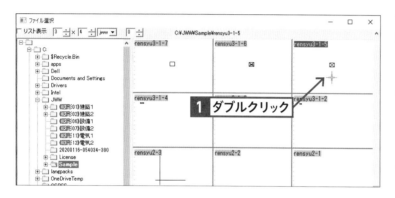

1 ファイルを開く

ツールバーの「開く」ボタンをクリックして「ファイル選択」ウィンドウを開き、「rensyu3-1-5」を探してダブルクリックします ▶ p.48。

2 図形を拡大表示する

中央にある四角形付近を両ドラッグで拡大します ▶ p.68。

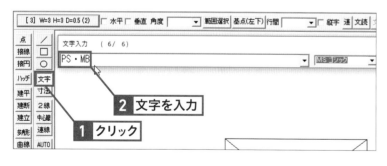

3 文字をかく

ツールバーの「文字」ボタンをクリックし、「文字入力」ボックスに半角で「PS・MB」と入力します。

補足 「・」(中点)は全角なので「ひらがな」モードに切り替え、キーボードの「／」キーを押してスペースキーで変換すると表示されます ▶ p.64。大文字のアルファベットを入力する時にはShiftキーを押したまま、該当するアルファベットのキーを押します。

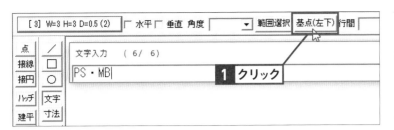

4 文字の基点を変更する

コントロールバー「基点（左下）」を
クリックします。

補足 文字の基点（マウスポインタの位置）の初期設定は「左下」です。左下とは文字枠の左下頂点のことです。

5 基点を「中中」に設定

「文字基点設定」ダイアログが開く
ので、「文字基点」欄の「中中」をク
リックします。ダイアログが閉じ、
文字枠の中心が基点になります。

補足 「文字基点」のいずれかのボタンを
クリックすると、設定されて直ちにダイ
アログが閉じます。

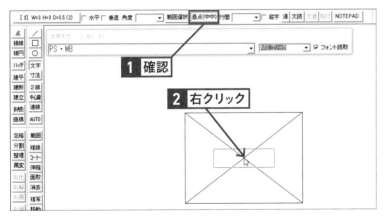

6 移動先の読取点を指示

コントロールバーが「基点（中中）」
になったことを確認し、文字の配置
先である長方形の対角線の交点を右
クリックします。

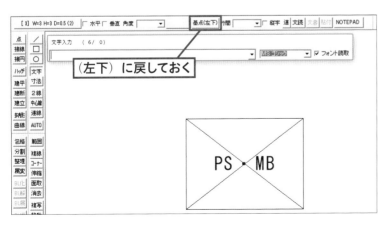

7 文字が中央に配置された

文字の基点（中中）と対角線の交点
が重なったところに文字が配置され
ました。手順4、5と同様にしてコ
ントロールバーの基点を「基点（左
下）」に戻しておきましょう。

06 文字や図形を消去する

■ 練習用ファイル「rensyu3-1-6」

　前項でかいた文字と対角線を消去しましょう。図形や文字・寸法の消去は、いずれも「消去」コマンドで行います。ここから始める方は上記練習用ファイルを開き、図形付近の画面を拡大表示してください ▶ p.68。

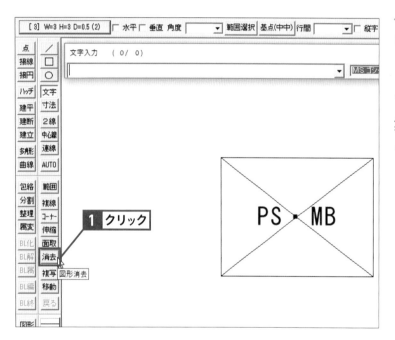

1 消去コマンドを実行

ツールバーの「消去」ボタン（「編集」メニュー→「消去」）をクリックします。

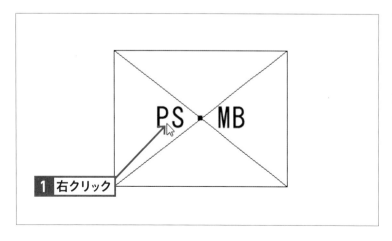

2 文字を消去

消去する文字（ここでは「PS・MB」）を右クリックします。ただちに文字が消去されます。

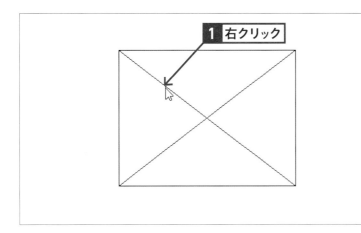

3 線を消去

消去する線（ここでは対角線のひと
つ）を右クリックします。ただちに
線が消去されます。

> **補足** 線上ならばどこを右クリックしても
> かまいません。

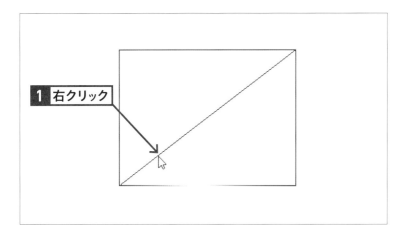

4 もう1本の線を消去

同様にしてもう1本の対角線を右ク
リックします。

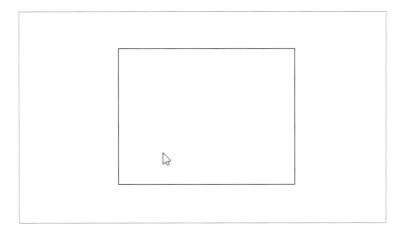

5 文字と対角線が 消去された

文字と対角線が消去されました。

> **補足** 消去コマンドで消去する図形は右クリックで指示します。この時、図形を右クリックではなくクリックすると、
> 線の部分消去モードに移行し、図形そのものを消去することはできません。

07 文字の方向を変える

■ 練習用ファイル「rensyu3-1-7」

　図面に室名などをかく場合，文字の方向を変えたい時があります。ここではその方法を紹介します。前項の長方形だけがかかれた状態の図面から始めます。ここから始める方は上記練習用ファイルを開き、図形付近の画面を拡大表示してください ❯ p.68。

❯ 文字を縦書きにする

1 文字をかく

ツールバーの「文字」ボタンをクリックし、「文字入力」ボックスに「リビング」と入力します。

2 垂直・縦字に設定

コントロールバー「垂直」「縦字」をクリックしてチェックを付けます。

> 注意! この時、コントロールバーの基点が「基点（中中）」になっていたら、「基点（左下）」に戻しておいてください ❯ p.75。

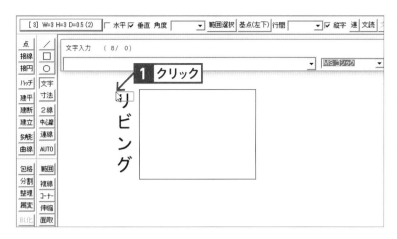

3 文字の位置を指定

任意の位置（ここでは矩形の左側）をクリックします。縦書き文字が作成されました。

補足 コントロールバー「垂直」にチェックを付けずに「縦字」だけにチェックを付けると、文字の方向は水平のまま縦書きになります。

➡ 文字を垂直方向に横書きする

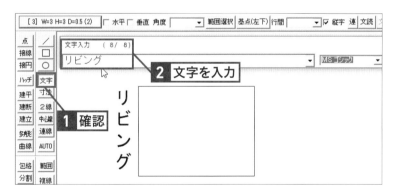

1 文字をかく

ツールバー「文字」が選択されていることを確認し、「文字入力」ボックスに「リビング」と入力します。

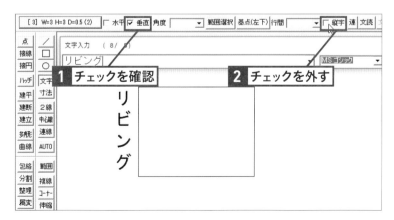

2 垂直に設定

コントロールバー「縦字」のチェックは外し、「垂直」のチェックだけにします。

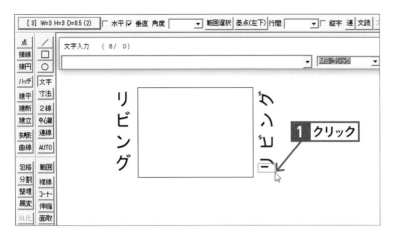

3 文字の位置を指定

任意の位置（ここでは矩形の右側）をクリックします。垂直方向に横書きの文字が作成されました。文字の練習はこれで終了です。ファイルは「rensyu3-1-7kansei」と名前を付けて保存しておきましょう◯ p.36。

補足 角度を指定して文字を傾けたい時は、コントロールバー「角度」に傾けたい角度を入力（または表示されるメニューから選択）すると、文字が指定した角度に傾きます。斜線に沿った文字をかく時などに使います。

文字コマンドのコントロールバーの
その他機能

コントロールバー［角度］に 0° 方向以外の数値
が設定されていても、水平方向に文字がかける

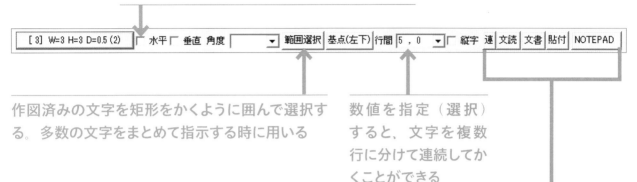

作図済みの文字を矩形をかくように囲んで選択す
る。多数の文字をまとめて指示する時に用いる

数値を指定（選択）
すると、文字を複数
行に分けて連続してか
くことができる

［連］：
文字列の連結や分割、移動がで
きる
［文読］：
保存してあるテキストファイルを文
字列として貼り付ける
［文書］：
作図済みの文字列をテキストファ
イルとして保存する
［貼付］：
コピーコマンドでコピーした文字
列（または Windows のクリップ
ボードに保持されている文字）を
貼り付ける
［NOTEPAD］：
作図済みの文字列をテキストエ
ディタで編集する。初期設定では
［NOTEPAD］と表示され、Win-
dows 付属のメモ帳が起動する
（編集する文字列を範囲選択した
場合）

次の文字位置

［行間］のメニューか
ら［5 , 0］を選択し、
連続でかいた複数行
の文字。
前の数値（この場合
［5］）が行間の指定、
後の数値（この場合
［0］）が次の行の先
頭を下げる（ずらす）
指定になる

寸法をかこう

建築図面では、建物の主要構造（基準線、柱、壁、建具、高さなど）の線に沿って寸法をかきます。Jw_cadでかく寸法は、引出線や寸法線の位置を毎回指定してかきます。

寸法各部の名称

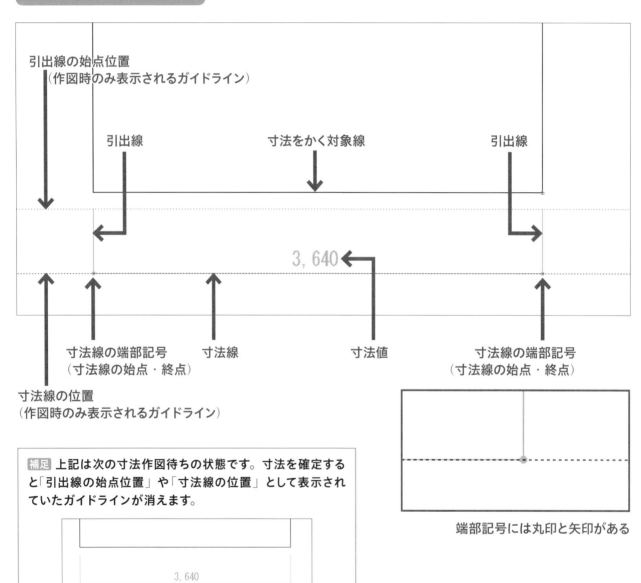

引出線の始点位置
（作図時のみ表示されるガイドライン）

引出線　　　　　　寸法をかく対象線　　　　　　引出線

3,640

寸法線の端部記号　　　寸法線　　　　　　寸法値　　　　　　寸法線の端部記号
（寸法線の始点・終点）　　　　　　　　　　　　　　　　　　（寸法線の始点・終点）

寸法線の位置
（作図時のみ表示されるガイドライン）

補足 上記は次の寸法作図待ちの状態です。寸法を確定すると「引出線の始点位置」や「寸法線の位置」として表示されていたガイドラインが消えます。

3,640

端部記号には丸印と矢印がある

SECTION 02 | 寸法をかこう

01 寸法をかく

■ 練習用ファイル「rensyu3-2-1」

　長方形群の下辺に寸法をかきましょう。練習用ファイル「rensyu3-2-1」を開き、寸法コマンドで寸法をかきます。

1 開くコマンドを実行

右のツールバーの「開く」ボタンをクリックします。

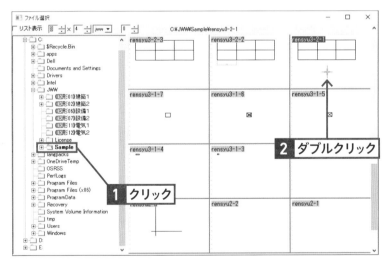

2 ファイルを選択

「ファイル選択」ウィンドウの左側のツリー表示で「Sample」フォルダーを選択し、表示されたファイル一覧から「rensyu3-2-1」をダブルクリックします。

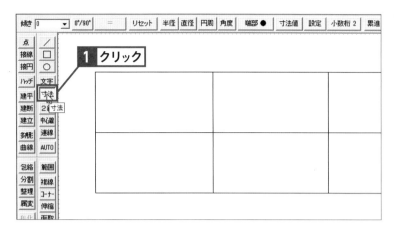

3 寸法コマンドの実行

ツールバーの「寸法」ボタン（「作図」メニュー→「寸法」）をクリックします。

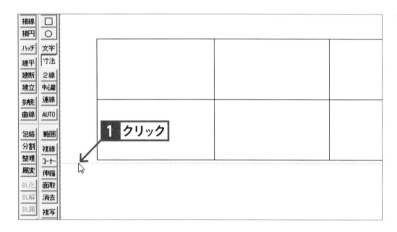

4 引出線の始点を決める

引出線の始点にする位置をクリックします。クリックするとガイドラインが表示されます。

補足 寸法の引出線は、対象線から少し間をあけてかきます。引出線の始点は対象線と離れすぎない適当な位置で指示します。マウスポインタが指す位置の水平方向は関係ありません。対象線から垂直方向にどれだけ離すかの指示になります。

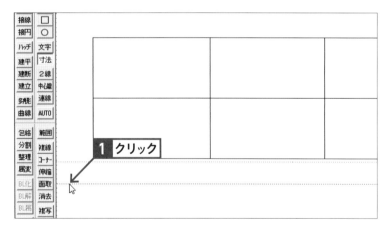

5 寸法線の作図位置を決める

寸法線を表示する位置をクリックします。手順4と同じようにガイドラインが表示されます。

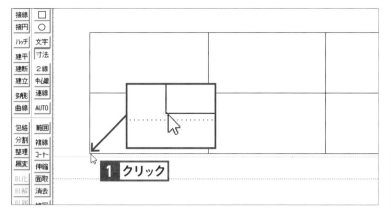

6 寸法の始点を指示

寸法の始点にする点をクリックします。寸法の始点が設定されると小さい水色の○印が付きます。

> 補足 始点と終点は端点や頂点、交点など読み取り可能な点のみ指定できます。

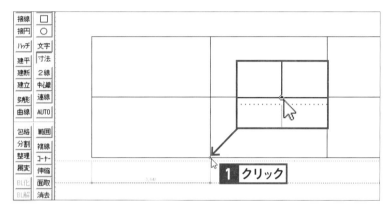

7 寸法の終点を指示

寸法の終点にする点をクリックすると、寸法が記入されます。

> 補足 寸法の始点・終点の指示は読取点でも（左）クリックで指示できます。もちろん右クリックで指示してもかまいません。点の指示は画面を十分に拡大表示してからクリックするか、右クリックで確実に点を指示するようにしてください。

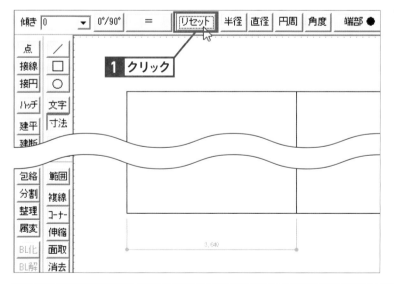

8 寸法を確定

コントロールバー「リセット」をクリックします。寸法が確定します。

> 補足 手順3で寸法コマンドを実行すると、作図ウィンドウ左上にこれからかく寸法のおもな設定内容が表示されます。この情報はコマンド実行後、どこかをクリックすると消えますが、「リセット」をクリックすると再表示されます。

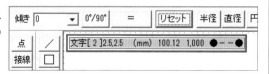

02 寸法を消去する

■ 練習用ファイル「rensyu3-2-2」

　前項で作図した寸法を消去します。寸法は引出線、寸法線、寸法値で構成されていて、p.76の消去方法では1つずつ右クリックして消去しなくてはなりません。ここでは寸法を一度に消去する方法を説明します。複数の図形をまとめて消去したい時にも応用できます。ここから始める方は上記練習用ファイルを開いてください。

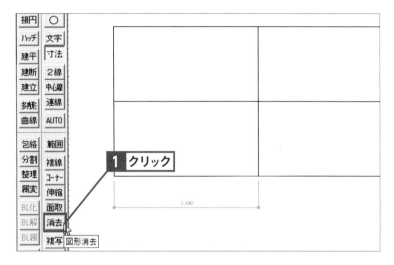

1 消去コマンドを実行

ツールバーの「消去」ボタンをクリックします。

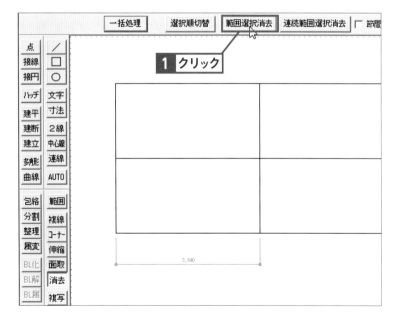

2 範囲選択消去を選択

コントロールバー「範囲選択消去」をクリックします。

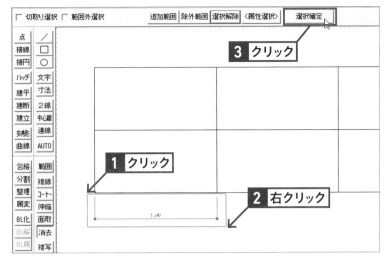

3 消去する寸法を 範囲選択

図のように消去する寸法（引出線、寸法線、寸法値）を矩形範囲選択し、範囲選択の終点は必ず右クリックで指示します。寸法がピンク色に変わったら、コントロールバー「選択確定」をクリックします。

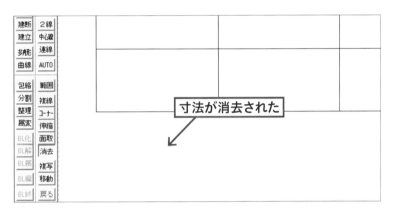

4 寸法が消去された

寸法が消去されました。

> 補足 消去する図形に文字や寸法値（数字）が含まれる時は、矩形範囲選択の終点（対角点）は右クリックします。消去範囲に文字や寸法値が含まれない時は、終点をクリックで指示できます。

寸法図形

　寸法コマンドのコントロールバー「設定」をクリックして開く「寸法設定」ダイアログ（右図）の「寸法線と値を【寸法図形】にする。円周、角度、寸法値を除く」にチェックを付けると、寸法を「寸法図形」に設定できます。寸法図形とは、寸法線と寸法値を 1 つのデータとして扱う図形です。寸法線を右クリックで消去すると寸法値も同時に消去されます。また、寸法線が伸縮した場合には寸法値も自動的にかき換えられます。

　本書では寸法線の伸縮を行いませんので、この欄にはチェックを入れません。

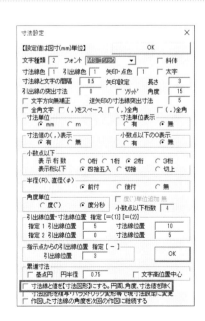

03 連続寸法をかく

■ 練習用ファイル「rensyu3-2-3」

長方形の下辺に連続する寸法をかいてみましょう。ここから始める方は上記練習用ファイルを開いてください。

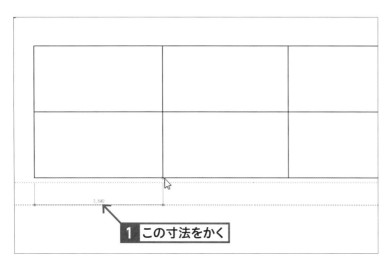

1 左端の長方形の寸法をかく

p.84～85の手順3～7で左端の長方形の寸法をかきます。寸法の確定はしません。ガイドラインが表示されたままにしてください。

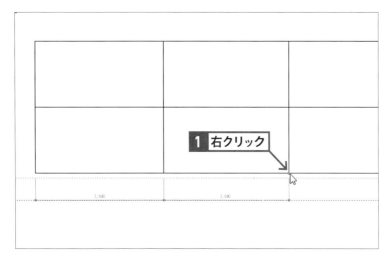

2 2つ目の寸法の終点を指示

左端長方形の寸法作図が終わったら、次の終点にする点を右クリックします。2つ目の寸法が記入できました。

注意! 寸法の連続入力時の終点は右クリックで指示します。

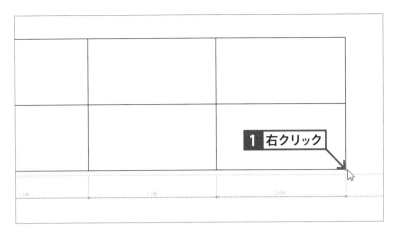

3 3つ目の寸法の終点を指示

同様にして次の終点にする点を右クリックします。3つ目の寸法が記入できました。

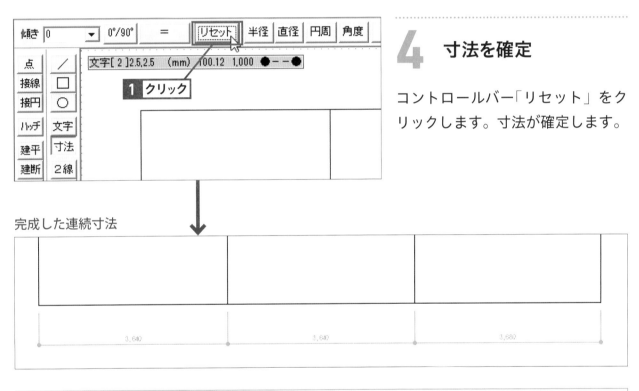

4 寸法を確定

コントロールバー「リセット」をクリックします。寸法が確定します。

完成した連続寸法

補足 連続寸法の下に各長方形の下辺を合計した寸法を記入すると、二段寸法として表示できます。
この時、連続寸法の端部記号を始点・終点の読取点として利用することも可能です。

寸法の端部記号は点として読み取れる

04 垂直寸法をかく

　長方形群の右辺に垂直寸法をかきます。垂直寸法とは垂直線に沿って横に傾いた寸法のことで、コントロールバー「傾き」を「90」に設定してかきます。それ以外のかき方は水平にかく寸法と同じです。ここでは連続寸法も続けてかいてみます。ここから始める方は上記練習用ファイルを開いてください。

1 傾きを90°に指定

ツールバー「寸法」が選択されていることを確認し、コントロールバー「0°/90°」をクリックします。コントロールバー「傾き」に「90」と自動入力されます。

補足 コントロールバー「傾き」に「90」とキー入力しても同じです。

2 引出線の始点を決める

引出線の始点位置をクリックします。クリックするとガイドラインが表示されます。

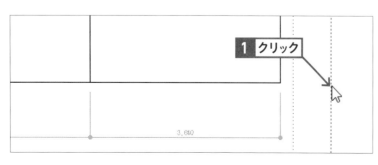

3 寸法線の作図位置を決める

寸法線の作図位置をクリックします。手順2と同じようにガイドラインが表示されます。

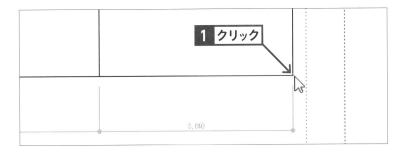

4 寸法の始点を指示

寸法の始点にする点をクリックします。寸法の始点が設定されると小さい水色の○印が付きます。

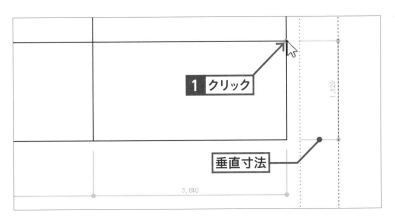

5 寸法の終点を指示

寸法の終点にする点をクリックすると、垂直寸法が記入されます。

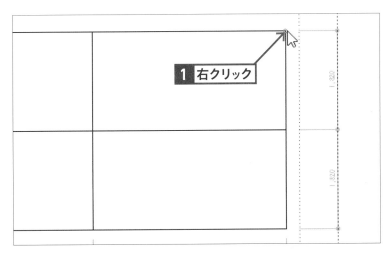

6 寸法を連続入力

連続入力の次の終点にする点を右クリックします。連続寸法が記入されます。

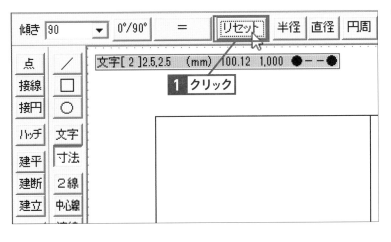

7 寸法を確定

コントロールバー「リセット」をクリックして寸法を確定します。寸法の練習はこれで終了です。ファイルは「rensyu3-2-4kansei」と名前を付けて保存しておきましょう▶ p.36。

寸法コマンドのコントロールバーの
その他機能

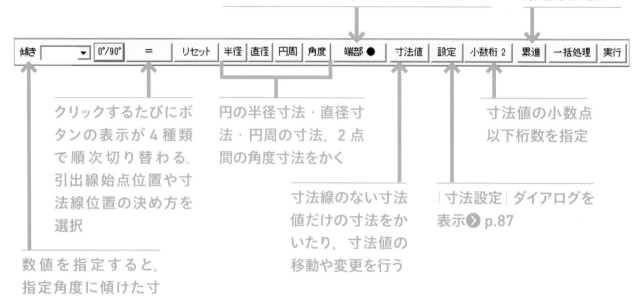

寸法線端部記号を設定。クリックするたび
にボタンの表示が 3 種類で順次切り替わる

累進寸法をかく

クリックするたびにボタンの表示が 4 種類で順次切り替わる。引出線始点位置や寸法線位置の決め方を選択

円の半径寸法・直径寸法・円周の寸法，2 点間の角度寸法をかく

寸法値の小数点以下桁数を指定

数値を指定すると，指定角度に傾けた寸法をかく

寸法線のない寸法値だけの寸法をかいたり，寸法値の移動や変更を行う

「寸法設定」ダイアログを表示 > p.87

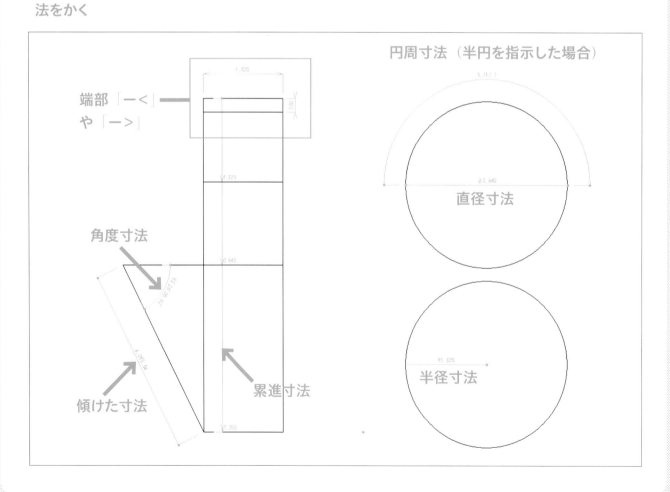

端部「ー<」や「ー>」

角度寸法

傾けた寸法

累進寸法

円周寸法（半円を指示した場合）

直径寸法

半径寸法

図形を加工する

SECTION
01 線を複線にしよう

　作図済みの線を平行に複写（コピー）して複線（1組の平行線）にするのが「複線」コマンドです。Jw_cad独特の機能で、建築図面に多く見られる平行線を効率的に作図できます。

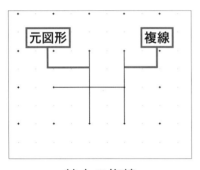

基本の複線

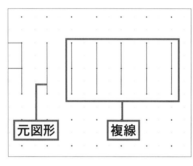

連続複線

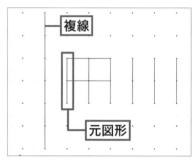

長さ（寸法）を変えた複線

➡ 作図ウィンドウに目盛点を表示する

　4章以降は作図ウィンドウに目盛点を表示させて作図します。目盛点とは、一定の間隔で縦横の格子状に表示される点（黒点と、黒点間を等分割で補間する青点）のことです。

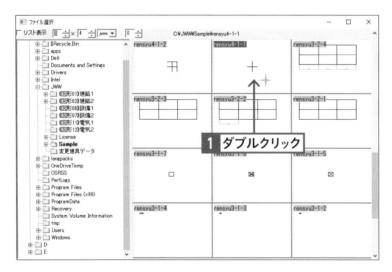

1 開くコマンドを実行

右のツールバーの「開く」ボタンをクリックします ➤ p.48。

2 練習用ファイルを開く

「ファイル選択」ダイアログを表示し、練習用ファイル「rensyu4-1-1」をダブルクリックして開きます。

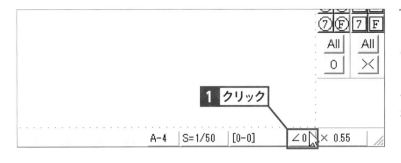

1 クリック

A-4　S=1/50　[0-0]　∠0　× 0.55

3 目盛設定のダイアログを開く

ステータスバーの軸角ボタン「∠0」をクリックします。

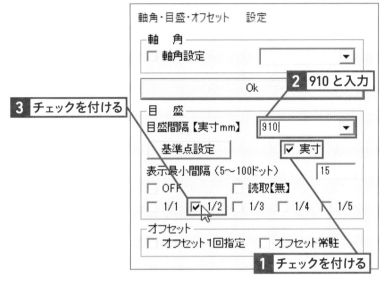

軸角・目盛・オフセット　設定

軸　角
☐ 軸角設定

2 910 と入力

Ok

3 チェックを付ける

目　盛
目盛間隔【実寸mm】　910

基準点設定　　☑ 実寸

表示最小間隔（5〜100ドット）　15
☐ OFF　　　☐ 読取【無】
☐ 1/1　☑ 1/2　☐ 1/3　☐ 1/4　☐ 1/5

オフセット
☐ オフセット1回指定　☐ オフセット常駐

1 チェックを付ける

4 目盛を設定

「軸角・目盛・オフセット　設定」ダイアログが開きます。「実寸」にチェックを付け、「目盛間隔【実寸mm】」ボックスに「910」と入力（初期設定の「910, 910」になっている場合は確認のみ）、補間する目盛間隔として「1/2」にチェックを付けます。

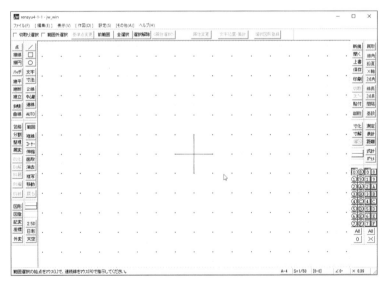

5 目盛が表示された

作図ウィンドウに目盛が表示されます。

補足 目盛が表示されるとステータスバーの軸角ボタン「∠0」に「・」が付きます。

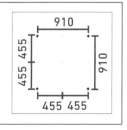

補足 目盛間隔を910、補間目盛を1/2に設定したので、黒点が910mm、青点がその1/2の455mm間隔となります。目盛は読取点として指示できます。目盛をガイドにすることで、寸法が910、455、1820などの水平線や垂直線をかくことが容易になります。

01 間隔を指定して複線にする

📁 練習用ファイル「rensyu4-1-1」

それでは複線コマンドを使って、線を平行にコピーしてみましょう。複線の間隔を指定する時は、マウスによる指定と数値入力による指定の2通りの方法があります。引き続き、練習用ファイル「rensyu4-1-1」を使います。

➡ マウス指示で間隔を指定する

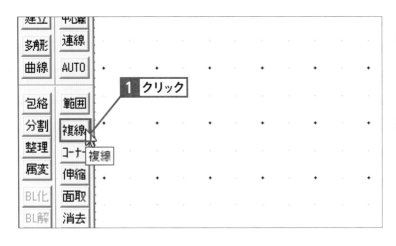

1 複線コマンドを実行

ツールバーの「複線」ボタン（「編集」メニュー→「複線」）をクリックします。

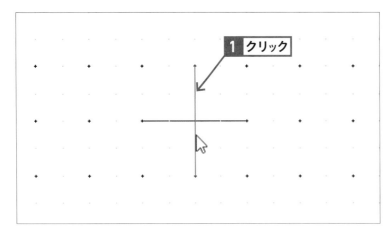

2 複線にする線を選択

複線にする基準線として、作図済みの垂直線をクリックします。線が選択されると、ピンク色に変わります。

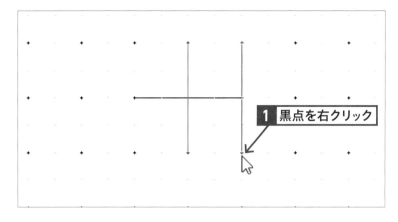

3 複線間隔を指示

複線の間隔として、ここでは、1つ右の列にある黒点を右クリックします。これで複線の間隔が基準となる線から黒点1つ分（910）に指定されました。

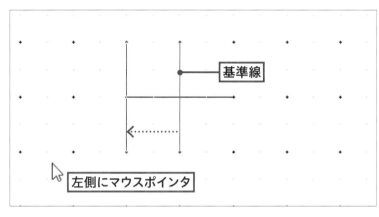

4 複線の方向を決める

マウスポインタを基準線の左右に動かすと赤色の仮線も左か右に表示されます。複線は必ず2通りできるようになっています。ここでは右側を複線にするので、基準線の右側をクリックします。

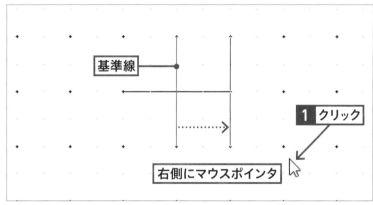

5 複線になった

複線にできました。

➡ 数値入力で間隔を指定する

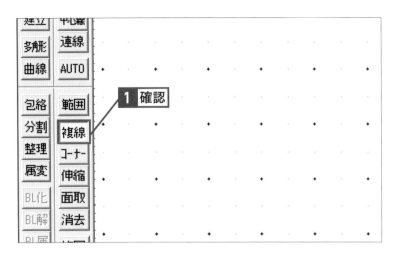

1 複線コマンドを実行

ツールバー「複線」が選択されていることを確認します。

> **補足** この時、コントロールバー「複線間隔」に数値が表示されていますが、これは前項のマウス指示で決めた複線間隔の値です。次の操作で複線にする線をクリックすると消えます。

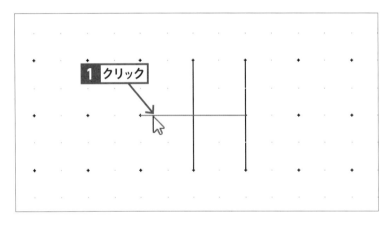

2 複線にする線を選択

複線にする基準線として、作図済みの水平線をクリックします。線が選択されると、ピンク色に変わります。

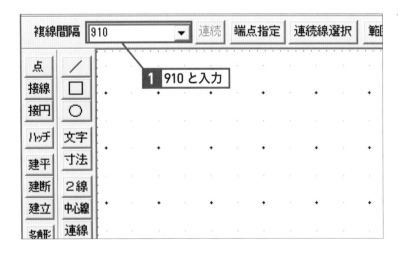

3 複線間隔を数値入力

コントロールバー「複線間隔」に、ここでは「910」とキー入力します。

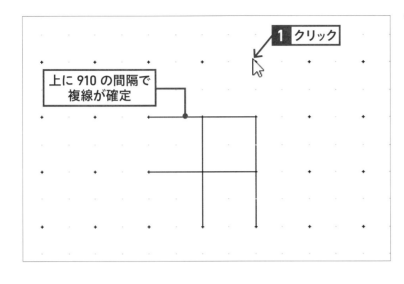

1 クリック

上に 910 の間隔で
複線が確定

4 複線の方向を決める

ここでは上側を複線にします。基準線の上側で複線方向決定のクリックをします。複線が確定します。

前回と同じ間隔で複線にする

　前回と同じ間隔で複線にしたい場合は、複線にする基準線を選択する時に、クリックではなく右クリックで選択します。すると、コントロールバー「複線間隔」に前回の数値が自動入力されるので、数値を入力する手間が省けて便利です。

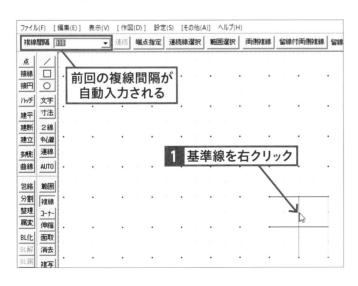

ファイル(F)　[編集(E)]　表示(V)　[作図(D)]　設定(S)　[その他(A)]　ヘルプ(H)

複線間隔 910　連続　端点指定　連続線選択　範囲選択　両側複線　留線付両側複線　留線

前回の複線間隔が
自動入力される

1 基準線を右クリック

複線コマンド実行後、基準線を右クリックで選択すると、コントロールバー「複線間隔」に数値が自動入力される。あとは複線方向を決めるクリックをするだけ。

02 連続して複線にする

■ 練習用ファイル「rensyu4-1-2」

複線後にコントロールバー「連続」をクリックすると、直前にコピーした線が前回と同じ方向、同じ間隔で新たにコピーされます。「連続」を1回クリックするたびに複線が1回繰り返され、何回でも連続複線にできます。等間隔で並ぶ格子などを作図する時に便利な機能です。ここから始める方は上記練習用ファイルを開いてください。

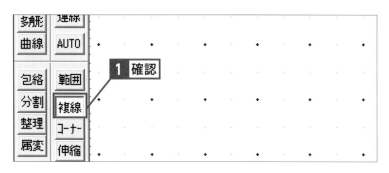

1 複線コマンドを実行

ツールバー「複線」が選択されていることを確認します。

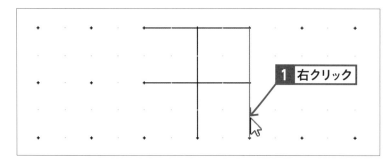

2 複線にする線を選択

複線にする基準線として、右側の垂直線を右クリックします。

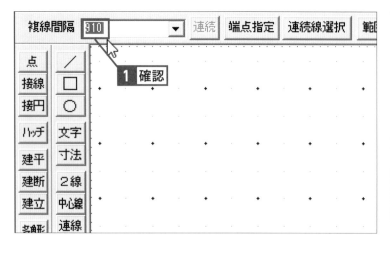

3 複線間隔を確認

前回の複線間隔「910」 p.98がコントロールバー「複線間隔」に自動入力されます。

補足 「910」になっていない時は、「910」とキー入力してください。

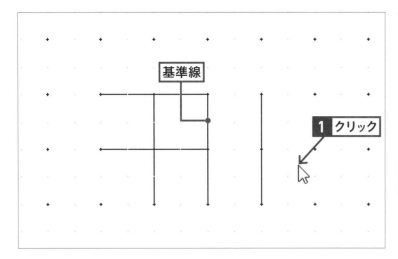

4 複線の方向を決める

基準線の右側をクリックして複線にします。間隔910の複線ができました。

> 補足 黒点1つ分の間隔が910です。

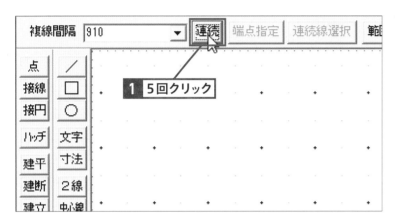

5 連続を5回実行

コントロールバー「連続」を5回クリックします。

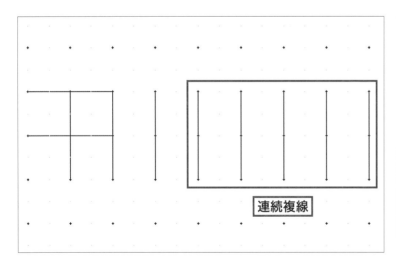

6 連続した5本の複線ができた

間隔910の複線が右側に5本かき加えられます。

> 補足 ここでは手順4で作図した線が連続複線の基準線となります。このため、間隔は「910」、複線方向は「右」の条件で連続して複線されます。

03 長さを変えて複線にする

■ 練習用ファイル「rensyu4-1-3」

　複線間隔を指示した後，コントロールバー「端点指定」をクリックすると両端点の位置を変更した複線にできます。この機能を使うと，長さの違う平行線が作図できます。ここでは基本の複線を行ってから，そのあと長さを変えた複線を作図してみましょう。ここから始める方は上記練習用ファイルを開いてください。

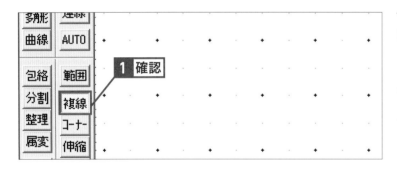

1 複線コマンドを実行

ツールバー「複線」が選択されていることを確認します。

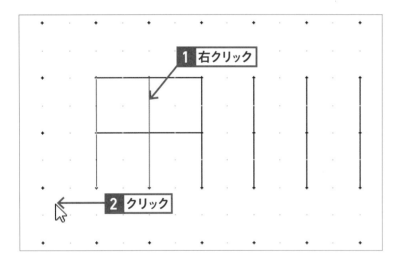

2 垂直線を複線する

複線にする基準線として図の垂直線を右クリックし，その左側をクリックして間隔910の複線にします。これが基本の複線です。

> **補足** コントロールバー「複線間隔」が「910」になっていない時は，「910」にしてください。

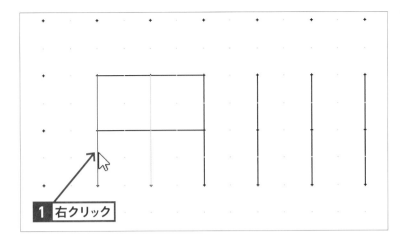

3 複線にする線を選択

続けて、長さを変えて複線にします。複線にする基準線として、手順2で作図した垂直線を右クリックします。

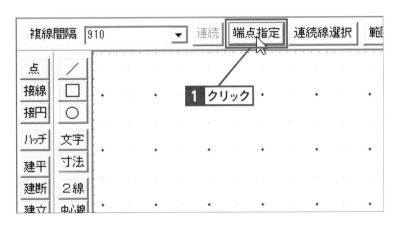

4 端点指定を設定

コントロールバー「端点指定」をクリックします。

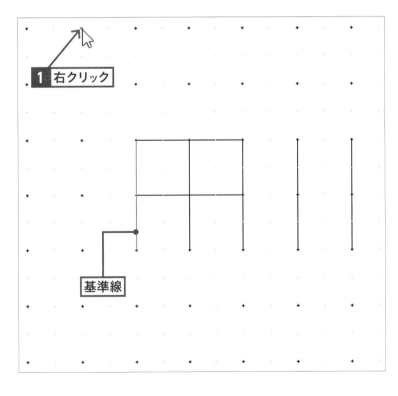

5 複線の始点を指示

複線の長さ（寸法）は始点→終点の順に指示して決めます。ここでは始点として、図の黒点を右クリックします。

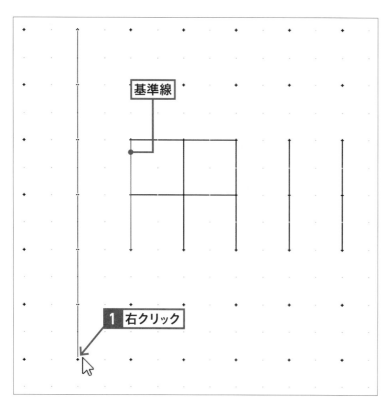

基準線

1 右クリック

6 複線の終点を指示

ここでは複線の終点として、図の黒点を右クリックします。

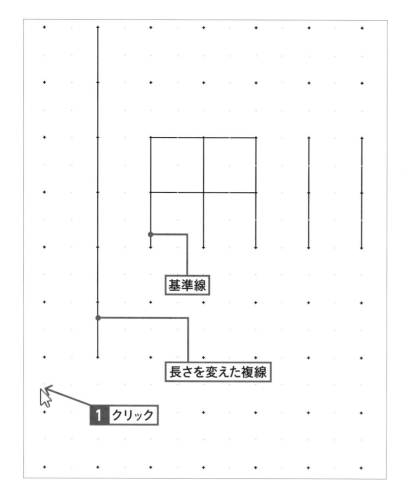

基準線

長さを変えた複線

1 クリック

7 複線方向を決める

ここでは左側で複線にします。基準線の左側でクリックすると、長さを変えた複線ができました。複線の練習はこれで終了です。ファイルは「rensyu4-1-3kansei」と名前を付けて保存しておきましょう ▶ p.36。

複線コマンドのコントロールバーのその他機能

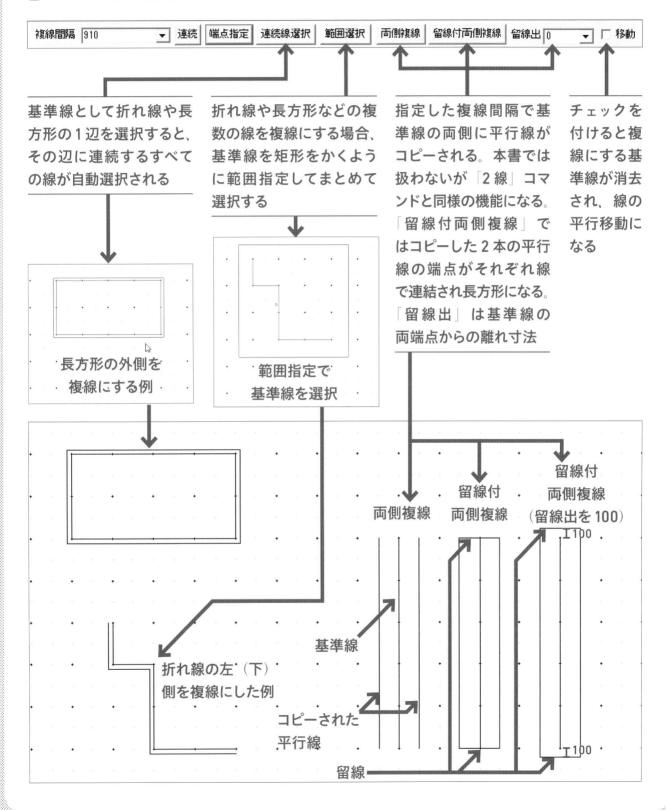

基準線として折れ線や長方形の1辺を選択すると、その辺に連続するすべての線が自動選択される

折れ線や長方形などの複数の線を複線にする場合、基準線を矩形をかくように範囲指定してまとめて選択する

指定した複線間隔で基準線の両側に平行線がコピーされる。本書では扱わないが「2線」コマンドと同様の機能になる。「留線付両側複線」ではコピーした2本の平行線の端点がそれぞれ線で連結され長方形になる。「留線出」は基準線の両端点からの離れ寸法

チェックを付けると複線にする基準線が消去され、線の平行移動になる

長方形の外側を複線にする例

範囲指定で基準線を選択

両側複線

留線付両側複線

留線付両側複線（留線出を100）

折れ線の左（下）側を複線にした例

基準線

コピーされた平行線

留線

SECTION 02 図形を複写しよう

作図済みの図形を別の場所に複写（コピー）するのが、「図形複写」コマンドです。「図形複写」という名前が付いていますが、文字や寸法もコピーできます。なお、作図済みの図形を別の場所に移動する「図形移動」コマンドは、元の図形が消去されること以外は図形複写コマンドとまったく同じ機能をもちます。

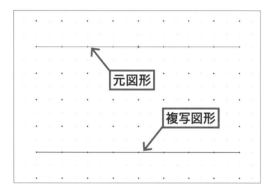

基本の複写

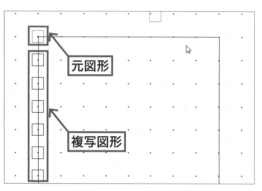

連続複写

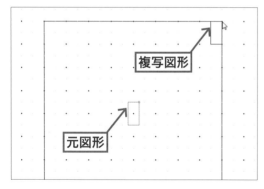

頂点を合わせて複写

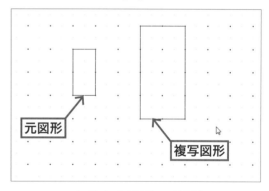

大きさを変えて複写

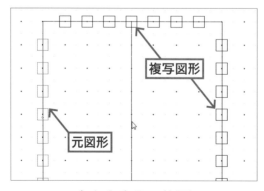

向きを変えて複写

➡ 「コピー」「貼り付け」 コマンドとの違いは?

　一般的なソフトでは、「コピー」と「貼り付け」という2つのコマンドを使って、文字などを別の場所にコピーします。これはパソコンのシステム内にある「クリップボード」と呼ばれる場所にコピーしたデータを一時的に保管し、そこから貼り付けるという方法です。このコマンドを使うと、今開いている同じファイルだけでなく、互換性のある違うソフトのファイルへ文字などをコピーすることもできます。

クリップボードのイメージ

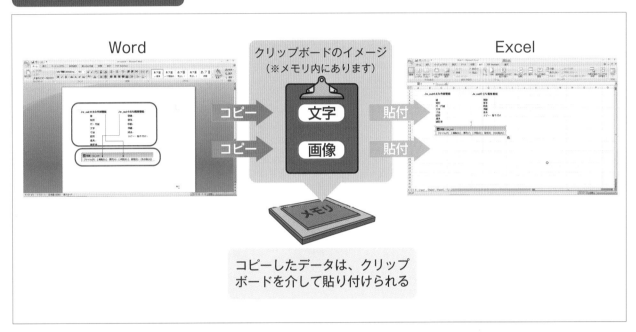

コピーしたデータは、クリップボードを介して貼り付けられる

　Jw_cadにも「コピー」「貼り付け」コマンドが用意されていますが、これは別々に起動しているJw_cadの、異なる図面（jwwファイル）間で図形をコピーする時に使うコマンドです。

　同じ図面上で図形をコピー／貼り付けする場合は「図形複写」コマンドを使います。図形複写コマンドはクリップボードを介さないため、今開いている図面ファイル内でしか利用できません。ただし、前頁のように大きさの変更や回転、反転など、図形にさまざまな変化をつけてコピーすることができます。

右のツールバーにある「コピー」「貼付」ボタン。コピーや貼り付けができない作図状態の時は、それぞれグレーで表示される

01 位置を指定して複写する

練習用ファイル「rensyu4-2-1」

　それでは図形複写コマンドを使って，図形をコピーしてみましょう。図形の複写位置（コピー先）は，マウスによる指定と数値入力による指定の2通りの方法があります。練習用ファイル「rensyu4-2-1」にある水平線を使って練習します。

➡ マウス指示による位置指定

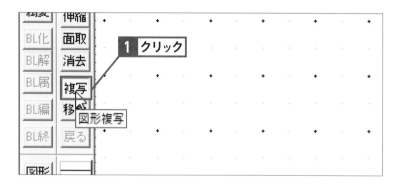

1 図形複写コマンドを実行

練習用ファイル「rensyu4-2-1」を開きます➡ p.48。ツールバーの「複写」ボタン（「編集」メニュー→「図形複写」）をクリックします。

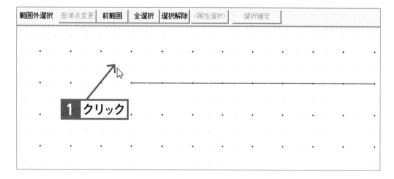

2 複写する図形を選択

複写する図形（ここでは水平線）を範囲選択します。まず、範囲選択の始点として、水平線左端の斜め上あたりをクリックします。

> 補足 範囲選択は矩形を作図するように頂点→対角点の順にクリックして、対象の図形を囲みます。「矩形範囲選択」ともいいます。

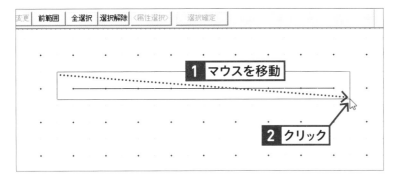

3 図形を囲む

矩形範囲枠が表示されます。水平線を完全に囲むように、水平線右端の斜め下付近までマウスを移動してクリックします。水平線が選択色のピンク色に変わります。

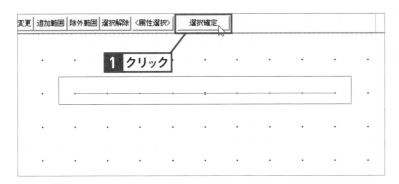

4 範囲選択の確定

コントロールバー「選択確定」をクリックします。

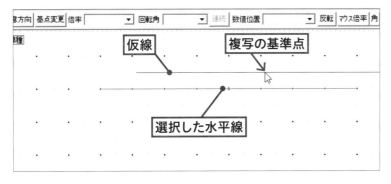

5 仮線が表示される

マウスポインタに水平線のコピーとなる仮線が表示されます。複写の基準点は線の中点です。

> 補足 初期設定では複写の基準点は図形の中心です。基準点を変更することもできます ▶ p.115。

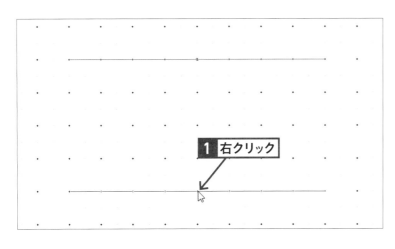

6 複写位置を指示

複写位置（コピー先）を指示します。元の水平線の下にある図の黒点に、マウスポインタ（複写の基準点）を合わせ、右クリックします。

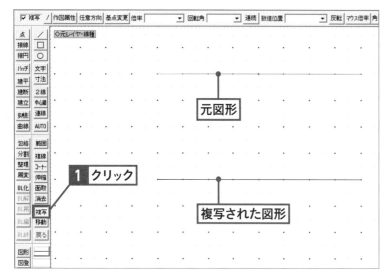

7 図形が複写された

水平線が黒色に変わり、複写（コピー）が確定しました。ツールバーの「複写」ボタンをクリックして図形複写コマンド実行直後の状態に戻しておきます。

> **注意!** 図形複写コマンドで図形を複写し終わると、同じ図形を複写する状態が続きます。他の図形を複写する場合は、再度ツールバーの「複写」ボタンをクリックして、図形複写コマンド実行直後の状態に戻します。図形の複写を終了する場合は「／」ボタンをクリックします。

➡ 数値入力による位置指定

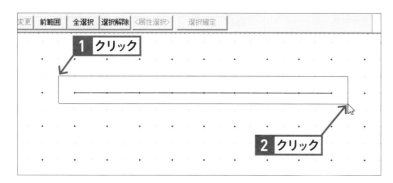

1 水平線の選択

ツールバー「複写」が選択されていることを確認します。前項と同じ上部の水平線を範囲選択します❯p.109。

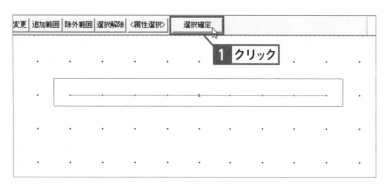

2 範囲選択を確定

水平線がピンク色になったら、コントロールバー「選択確定」をクリックします。

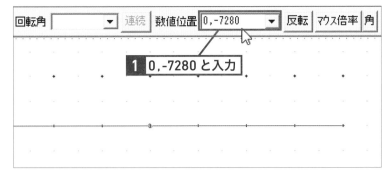

3 数値で位置を指定

ここでは、垂直下方7280（黒点8つ分）の位置にコピーします。コントロールバー「数値位置」に「0，-7280」とキー入力します。

> 補足「数値位置」の数値は、コピーする元の図形からの離れ位置を入力します。前の数値が水平右方向、後の数値が垂直上方向（離れた位置）になります。

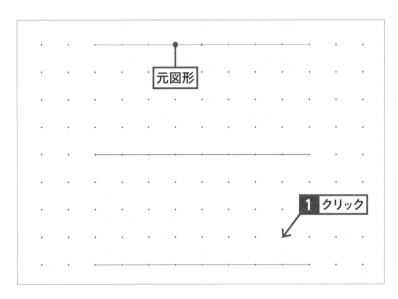

4 指定位置に仮線が表示される

垂直下方7280（黒点8つ分）の位置に仮線が表示されます。任意の位置をクリックして確定します。

> 補足「7280」には－（マイナス）を付けたので、下方向に複写されます。数値で位置を指定した時は、どこをクリックしても指定位置で複線が確定されます。

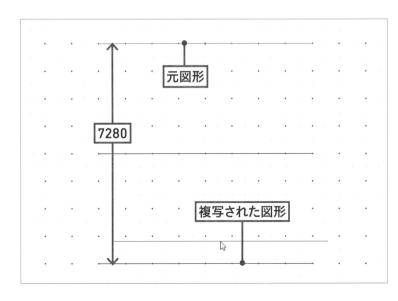

5 指定位置に複写された

数値で指定した位置に図形が複写されました。練習用ファイルに「rensyu4-2-1kansei」と名前を付けて保存しておきましょう p.36。

02 図形を連続複写する

■ 練習用ファイル「rensyu4-2-2」

複線コマンドと同じように図形も連続で複写（コピー）することができます。ここでは正方形を連続してコピーし、9個の同じ正方形を作図します。練習用ファイル「rensyu4-2-2」を使って練習します。

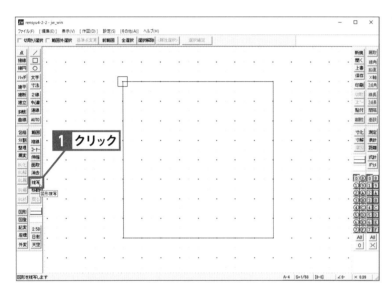

1 図形複写コマンドを実行

練習用ファイル「rensyu4-2-2」を開きます▶ p.48。ツールバーの「複写」ボタンをクリックします。

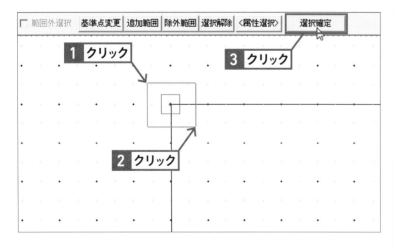

2 複写する図形を選択

左上の小さい正方形を範囲選択で囲み、コントロールバー「選択確定」をクリックします。

補足 図形複写コマンドの矩形範囲選択では、赤色の範囲枠で完全に囲まれた図形のみが選択されます。一部分しか範囲枠に入らない図形は選択されません。

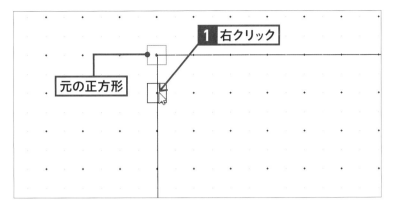

3 1つ下の黒点に 複写する

マウスポインタに赤い仮の正方形が表示されます。元の正方形の中心から1つ下にある黒点を右クリックします。正方形が複写されました。

4 連続複写する

コントロールバー「連続」をクリックします。

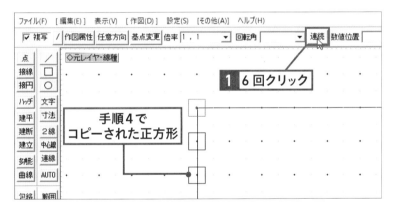

5 連続複写を繰り返す

直前の複写と同じ方向、同じ間隔で正方形がコピーできました。コントロールバー「連続」をさらに6回クリックします。

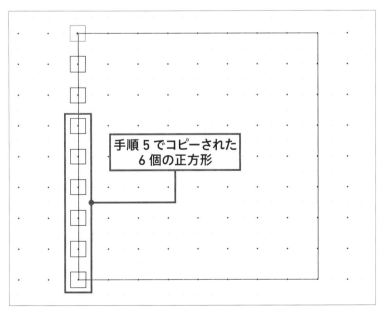

6 正方形が 連続複写された

以上で垂直線上に等間隔で9個の正方形を作図できました。練習用ファイルに「rensyu4-2-2kansei」と名前を付けて保存しておきましょう❿p.36。

03 頂点を合わせて複写する

■ 練習用ファイル「rensyu4-2-3」

複写した図形を配置する時は、マウスポインタが基準点である図形の中心を指すので、コピー先の位置によっては適当な読取点がなく、正確な位置にコピーできない場合があります。そのような時は基準点を変更します。ここでは、長方形の基準点を変更し、図形どうしの頂点を合わせて複写します。練習用ファイル「rensyu4-2-3」を使って練習します。

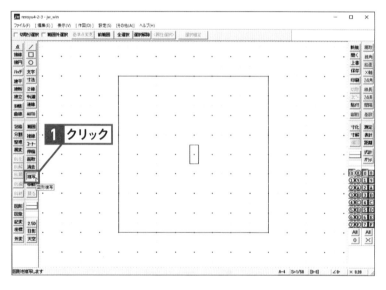

1 図形複写コマンドを実行

練習用ファイル「rensyu4-2-3」を開きます ➤ p.48。ツールバーの「複写」ボタンをクリックします。

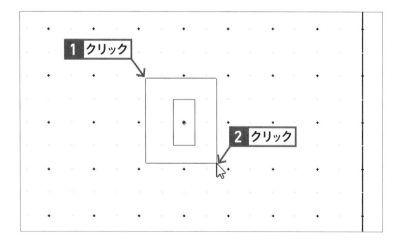

2 複写する図形を囲む

中央の小さい長方形を範囲選択で囲みます。

注意! コントロールバー「選択確定」はクリックしません。

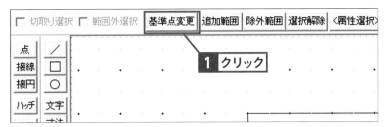

3 基準点を変更

コントロールバー「基準点変更」を
クリックします。

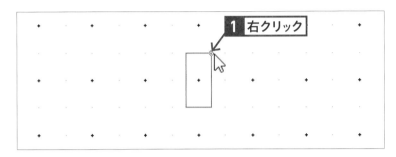

4 基準点を指示

変更する基準点として、ここでは長
方形の右上頂点を右クリックしま
す。赤い小さな円が付きます。

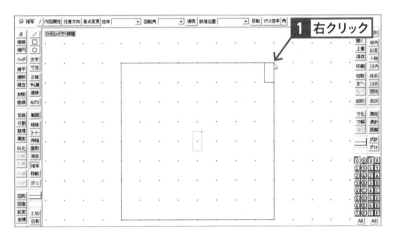

5 頂点を合わせて複写

複写先として外側の正方形の右上頂
点を右クリックします。頂点を合わ
せて複写できました。練習用ファイ
ルに「rensyu4-2-3kansei」と名前
を付けて保存しておきましょう◐
p.36。

補足 図形の端点や交点のほか、目盛を表示している時は目盛点も基準点にできます。また、選択した図形でな
くても、図面上のすべての読取点を複写の基準点に設定できます。コントロールバー「選択確定」をクリックして、
複写図形の選択確定をしてしまった後に基準点を変更したい時は、コントロールバー「基点変更」をクリックす
ると同様に操作できます。

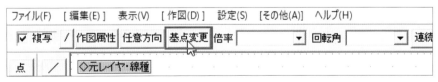

04 大きさを変えて複写する

■ 練習用ファイル「rensyu4-2-4」

　図形を拡大／縮小して複写できます。ここでは，長方形の辺の寸法を2倍に拡大して複写します。練習用ファイル「rensyu4-2-4」を使って練習します。

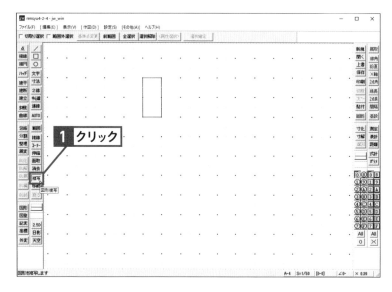

1 図形複写コマンドを実行

練習用ファイル「rensyu4-2-4」を開きます❯ p.48。ツールバーの「複写」ボタンをクリックします。

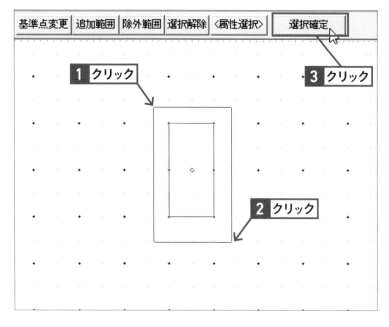

2 複写する図形を選択

長方形を範囲選択して、コントロールバー「選択確定」をクリックします。

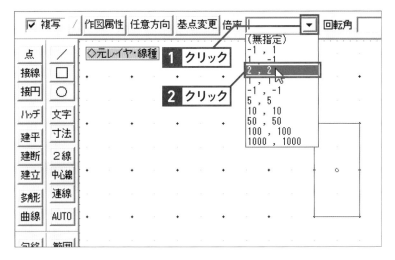

3 倍率を指定

コントロールバー「倍率」の▼をクリックし、表示されるメニューから、ここでは「2,2」をクリックします。

> 補足 2数値は、前が水平方向の倍率、後が垂直方向の倍率です。「2,2」では、図形複写の基準点を原点として、水平方向に2倍、垂直方向に2倍、拡大されます。

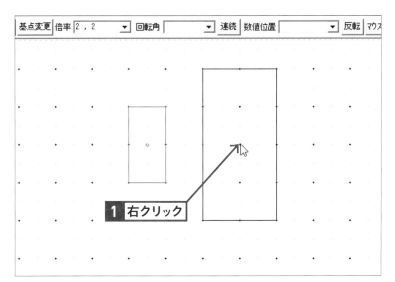

4 複写先を指示

複写先として、長方形の右側にある任意の黒点を右クリックします。図形が拡大複写されました。練習用ファイルに「rensyu4-2-4kansei」と名前を付けて保存しておきましょう▶ p.36。

> 補足 図形を縮小する時は、コントロールバー「倍率」で1より小さい値を指定します。「倍率」の値がマイナスの時は、基準点を原点とした反転も行います。前がマイナスならば水平方向反転、後がマイナスならば垂直方向反転です。

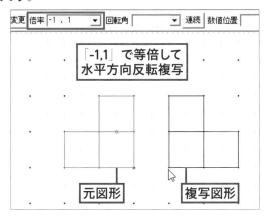

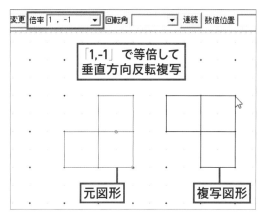

05 向きを変えて複写する

■ 練習用ファイル「rensyu4-2-5」

　図形の向きを変えて複写できます。向きを変える方法は角度を指定する「回転」と鏡像複写する「反転」があります。ここでは複数の図形をまとめて向きを変え、複写してみましょう。練習用ファイル「rensyu4-2-5」を使って練習します。

➡ 図形の回転複写

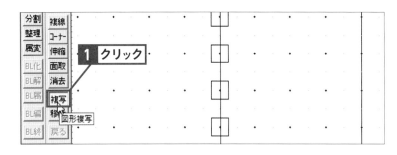

1 図形複写コマンドを実行

練習用ファイル「rensyu4-2-5」を開きます ➡ p.48。ツールバーの「複写」ボタンをクリックします。

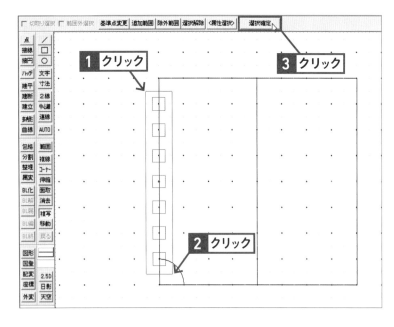

2 複写する図形を選択

左側にある小さな正方形7個を範囲選択し、コントロールバー「選択確定」をクリックします。

注意! 枠となる大きな正方形の左辺や円弧は含まないようにしてください。

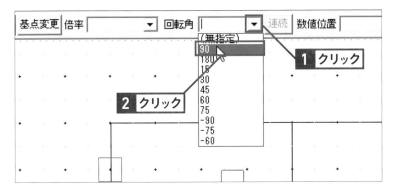

3 回転角度を指定

コントロールバー「回転角」の▼を
クリックし、表示されるメニューか
ら、ここでは「90」をクリックし
ます。

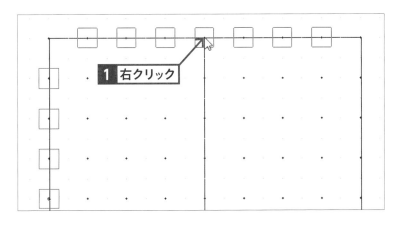

4 複写先を指示

90°回転（反時計回り）した仮の図
形群が表示されます。コピー先とし
て、枠の正方形の上辺まん中の黒点
を右クリックします。

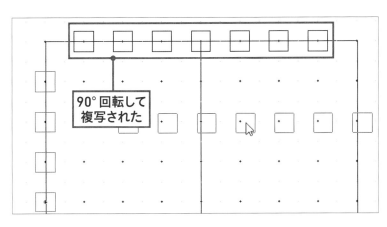

5 回転複写された

選択した図形が90°回転して複写さ
れました。

➡ 図形の反転複写

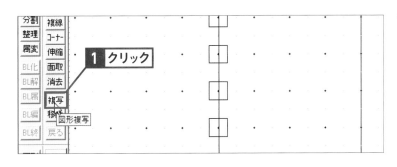

1 図形複写
コマンドを実行

ツールバーの「複写」ボタンをク
リックして、図形複写コマンドをリ
セット（実行）します➡p.110。

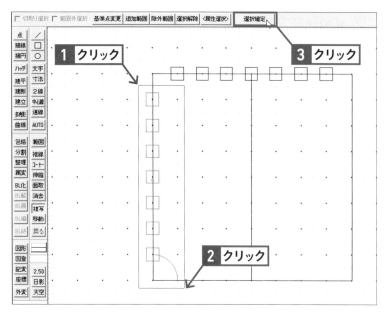

2 複写する図形を選択

左側にある小さな正方形7個と左下の円弧を範囲選択し、コントロールバー「選択確定」をクリックします。

> **注意!** 枠となる大きな正方形の左辺は含まないようにしてください。

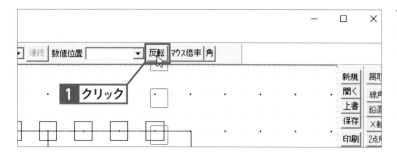

3 反転を指定

コントロールバー「反転」をクリックします。

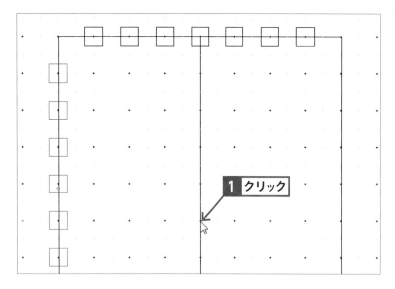

4 反転の基準線を指示

反転の基準線として、枠の正方形の中央にある垂直線をクリックします。

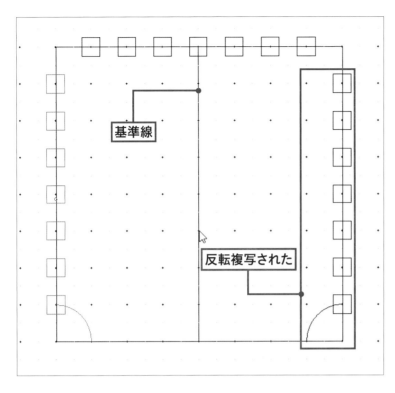

基準線

反転複写された

5 反転複写された

基準線を挟んだ反対側に選択した図形が反転複写されました。練習用ファイルに「rensyu4-2-5kansei」と名前を付けて保存しておきましょう ▶ p.36。

図形複写コマンドのコントロールバーのその他機能（図は複写図形「選択確定」後のツールバーの表示）

複写直後にクリックすると，複写元の図形が消去される

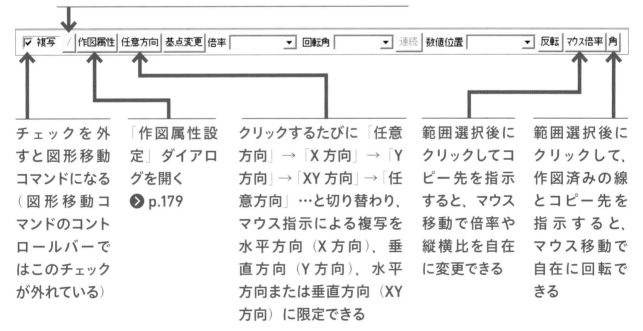

チェックを外すと図形移動コマンドになる（図形移動コマンドのコントロールバーではこのチェックが外れている）

「作図属性設定」ダイアログを開く ▶ p.179

クリックするたびに「任意方向」→「X方向」→「Y方向」→「XY方向」→「任意方向」…と切り替わり，マウス指示による複写を水平方向（X方向），垂直方向（Y方向），水平方向または垂直方向（XY方向）に限定できる

範囲選択後にクリックしてコピー先を指示すると，マウス移動で倍率や縦横比を自在に変更できる

範囲選択後にクリックして，作図済みの線とコピー先を指示すると，マウス移動で自在に回転できる

06 図形を移動する

■ 練習用ファイル「rensyu4-2-6」

　複写の練習の最後に移動について触れておきます。ここまで練習してきた内容は、「図形複写コマンドの実行」を「図形移動コマンドの実行」に置き換えるだけで、同じ設定の移動操作が可能です。ここでは、p.116と同じ倍率設定の移動をやってみましょう。練習用ファイル「rensyu4-2-6」を使って練習します。

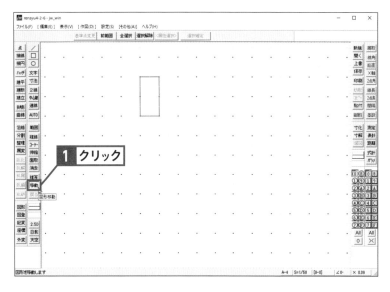

1 図形移動コマンドを実行

練習用ファイル「rensyu4-2-6」を開きます ▶ p.48。ツールバーの「移動」ボタンをクリックします。

補足 「移動」ボタンは「複写」ボタンの下にあります。

2 移動する図形を選択

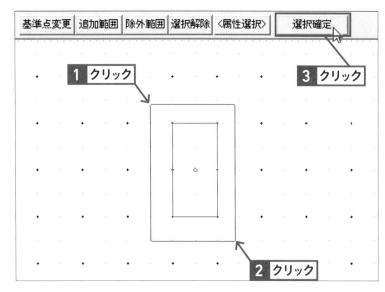

長方形を範囲選択して、コントロールバー「選択確定」をクリックします。

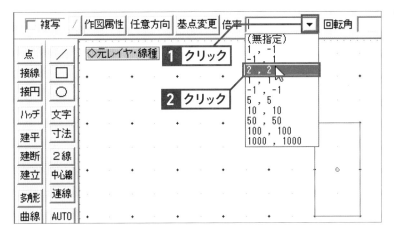

3 倍率を指定

コントロールバー「倍率」の▼をクリックし、表示されるメニューから、ここでは「2,2」をクリックします。

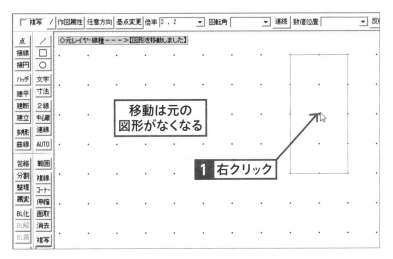

4 移動先を指示

移動先として、長方形の右側にある任意の黒点を右クリックします。図形が拡大移動されました。練習用ファイルに「rensyu4-2-6kansei」と名前を付けて保存しておきましょう ❯ p.36。

補足 図形移動コマンドのコントロールバーは、図形複写コマンドと同じです。左端の「複写」にチェックが付いている時は図形複写のコントロールバー、チェックが付いていない時は図形移動のコントロールバーになっています ❯ p.121。(図は移動図形「選択確定」後のツールバーの表示)

SECTION 03 線を伸縮しよう

　「伸縮」コマンドは、作図済みの線の両端点を移動することで線を伸ばしたり縮めたりするコマンドです。図面をかいている時にはみ出したり、長さが足りなくなった線はこのコマンドで調整できます。この節では伸縮の練習をします。

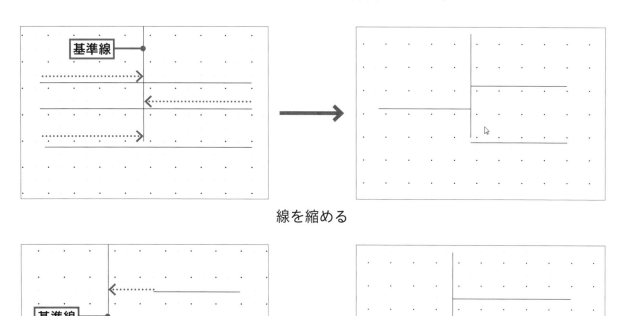

線を縮める

線を伸ばす

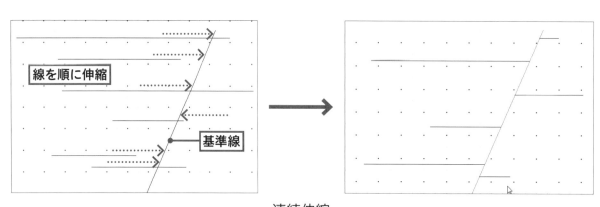

連続伸縮

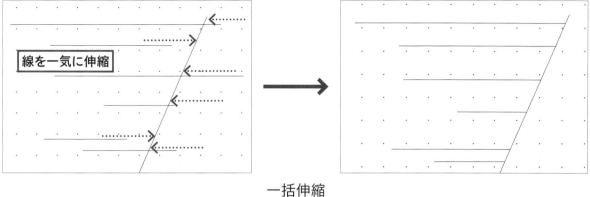

線を一気に伸縮

一括伸縮

→ 伸縮コマンドのルール

　伸縮コマンドは、伸縮させる線と伸縮位置を指示して実行します。通常、コマンドを実行して対象となる線を指示する時、その線上ならどこをクリックしてもよいのですが、伸縮コマンドで線を縮める（短くする）場合は、このクリック位置が重要になります。縮める線を指示する時は、縮んでも線が残る部分をクリックしなくてはなりません。線上の適当な位置をクリックすると意図しない結果になることがありますので、注意してください。

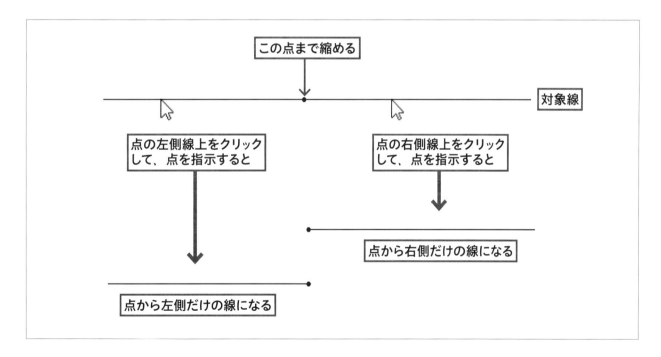

01 線を縮める

■ 練習用ファイル「rensyu4-3-1」

伸縮コマンドを使って線を縮めます。縮める位置は線の端点や交点、目盛点などのほか、任意の点でも指定できます。ここでは水平線を垂直線まで縮めてみましょう。練習用ファイル「rensyu4-3-1」を使って練習します。

→ 垂直線から右側だけ残す（左側を縮める）

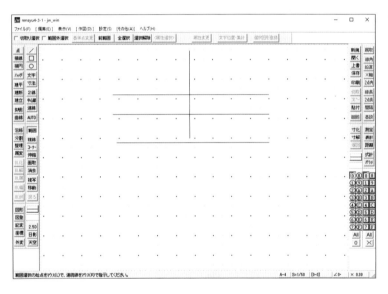

1 練習用ファイルを開く

練習用ファイル「rensyu4-3-1」を開きます▶ p.48。

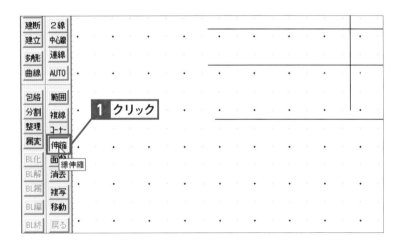

2 伸縮コマンドを実行

ツールバーの「伸縮」ボタン（「編集」メニュー→「伸縮」）をクリックします。

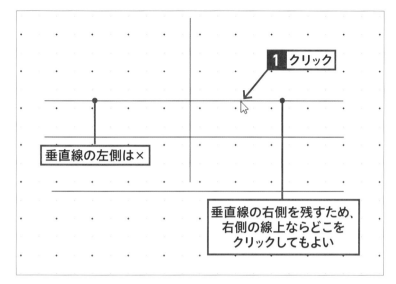

3 縮める線を右側で指示

縮める線を指示します。一番上の水平線を垂直線より右側（線を残す部分）でクリックします。

> **補足** クリックした位置には小さい水色の○印が付きます。

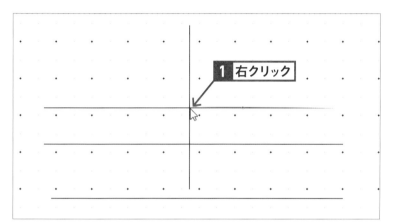

4 縮める位置を指示

垂直線まで縮めるので、水平線との交点を右クリックします。

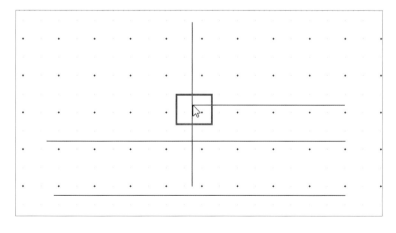

5 線が縮んだ

水平線が垂直線から右側だけになりました。

➡ 垂直線から左側だけ残す（右側を縮める）

1 伸縮コマンドの実行を確認

ツールバー「伸縮」が選択されていることを確認します。

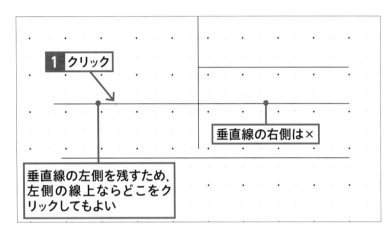

2 縮める線を左側で指示

縮める線を指示します。上から2番目の水平線を垂直線より左側（線を残す部分）でクリックします。

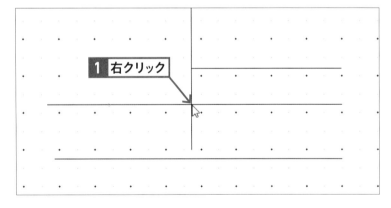

3 縮める位置を指示

垂直線まで縮めるので、水平線との交点を右クリックします。

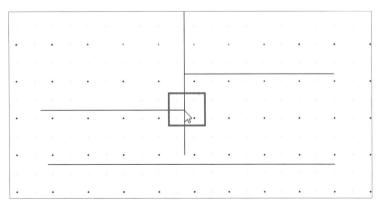

4 線が縮んだ

水平線が垂直線から左側だけになりました。

→ 交差しない線を短くする

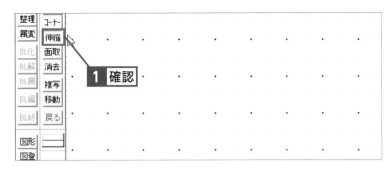

1 伸縮コマンドの実行を確認

ツールバー「伸縮」が選択されていることを確認します。

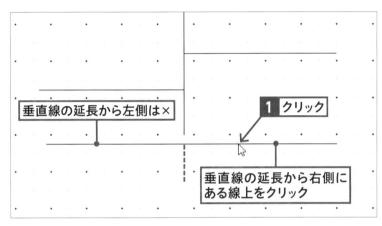

2 縮める線を指示（ここでは右側をクリック）

縮める線を指示します。一番下の水平線を垂直線の延長より右側（線を残す部分）でクリックします。

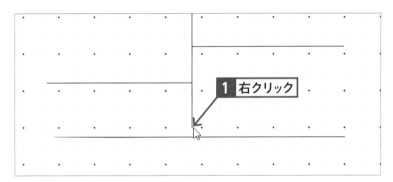

3 縮める位置を指示

垂直線まで縮めますが、水平線と交わっていないので垂直線の端点を右クリックします。

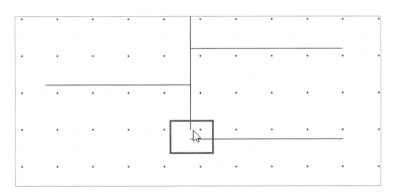

4 線が縮んだ

水平線が垂直線の延長から右側だけになりました。練習用ファイルに「rensyu4-3-1kansei」と名前を付けて保存しておきましょう ◆ p.36。

補足 このように線どうしが交差しない場合でも、指定位置までの読取点があれば線は縮められます。

02 線を伸ばす

■ 練習用ファイル「rensyu4-3-2」

伸縮コマンドを使って、線を伸ばします。伸ばす位置は縮めた時と同様に線の端点や交点、目盛点などのほか、任意点も指定できます。ここでは水平線を垂直線まで伸ばしてみましょう。練習用ファイル「rensyu4-3-2」を使って練習します。

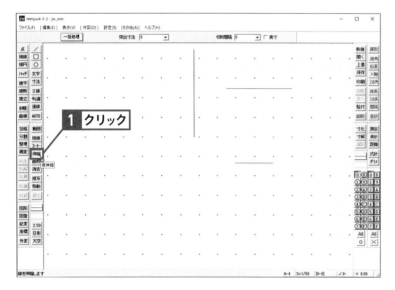

1 練習用ファイルを開く

練習用ファイル「rensyu4-3-2」を開きます ● p.48。ツールバーの「伸縮」ボタンをクリックします。

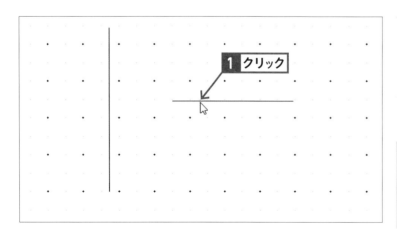

2 伸ばす線を指示

伸ばす線を指示します。上の水平線をクリックします。

補足 クリックした位置には小さい水色の○印が付きます。縮める時と違い、水平線上ならどこをクリックしてもかまいません。

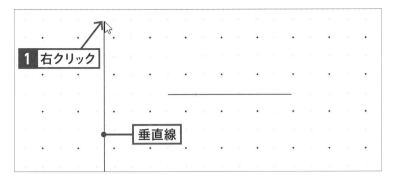

3 伸ばす位置を指示

垂直線まで伸ばします。垂直線の端点を右クリックします。

> 補足 線を伸ばす時は交点がない場合が多いので、端点で対応します。

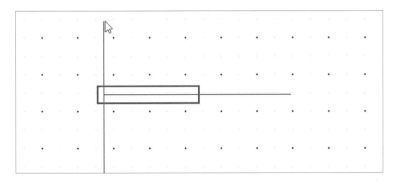

4 線が伸びた

水平線が垂直線まで伸びました。

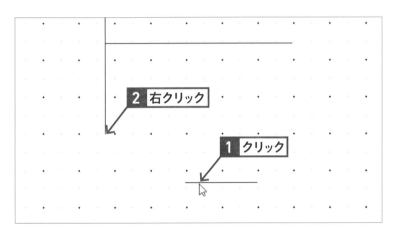

5 引き続き 線を伸ばす

次は下の水平線を伸ばしてみます。水平線をクリックして、垂直線の端点を右クリックします。

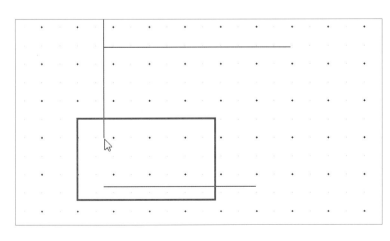

6 線が伸びた

水平線が垂直線の延長位置まで伸びました。練習用ファイルに「rensyu4-3-2kansei」と名前を付けて保存しておきましょう ▶ p.36。

> 補足 このように延長後の線どうしが交差しない場合でも、指定位置までの読取点があれば線は伸ばせます。

03 線を連続して伸縮する

■ 練習用ファイル「rensyu4-3-3」

複数の線を同じ1つの線まで連続して伸ばしたり縮めたりすることができます。ここでは斜線を基準線として、6本の水平線を連続して伸縮しましょう。練習用ファイル「rensyu4-3-3」を使って練習します。

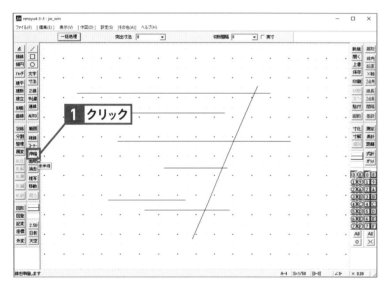

1 練習用ファイルを開く

練習用ファイル「rensyu4-3-3」を開きます ▶ p.48。ツールバーの「伸縮」ボタンをクリックします。

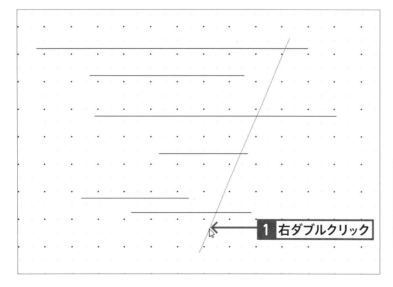

2 連続伸縮の基準線を指示

連続伸縮の基準線として、斜線を右ダブルクリックします。斜線がピンク色になります。

> 注意! 誤って右クリックすると、線の切断モードになってしまいます ▶ p.136。失敗した場合は、Escキーを押してキャンセルすればやり直せます。

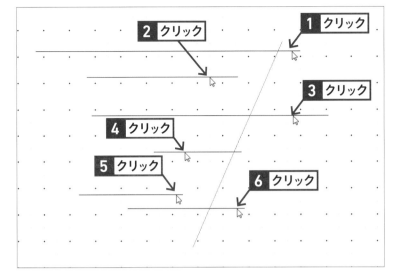

3 伸縮する線を順次指示

基準線とした斜線まで伸縮する水平線を、順次クリックします。ここでは図の順番・位置でクリックします。

> **補足** 線が縮む場合はクリックした側の線が残ることに注意してください。※図はクリック位置がわかるようにマウスポインタを6個配置しています。同様の画面は再現できません。

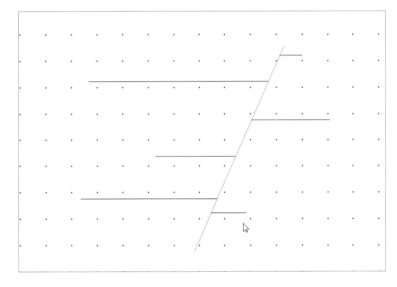

4 連続伸縮された

クリックするたびに線が伸縮します。連続伸縮が終了しました。練習用ファイルに「rensyu4-3-3kansei」と名前を付けて保存しておきましょう ❯ p.36。

> **補足** 引き続き別の基準線で連続伸縮したい時は、連続伸縮が終了した後、基準線にしたい線を右ダブルクリックして手順3の操作を行います。

SECTION 03 | 線を伸縮しよう

04 線を一括で伸縮する

📁 練習用ファイル「rensyu4-3-4」

　伸縮の最後は一括伸縮です。連続伸縮では伸縮する対象線を1本ずつ指示する必要がありましたが、一括伸縮では複数の線を範囲指定でまとめて指示できます。ここでは斜線を基準線として、6本の水平線を一括して伸縮しましょう。練習用ファイル「rensyu4-3-4」を使って練習します。

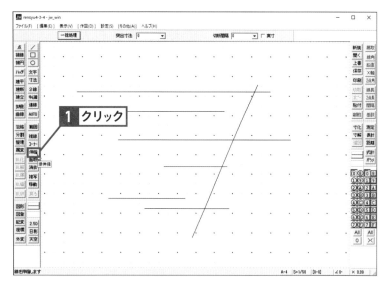

1 練習用ファイルを開く

練習用ファイル「rensyu4-3-4」を開きます▶ p.48。ツールバーの「伸縮」ボタンをクリックします。

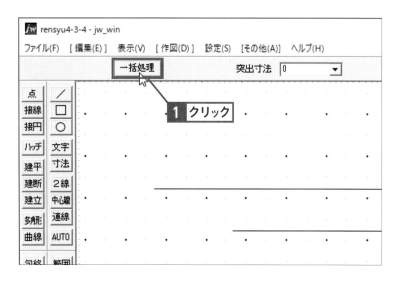

2 一括伸縮を設定

コントロールバー「一括処理」をクリックします。

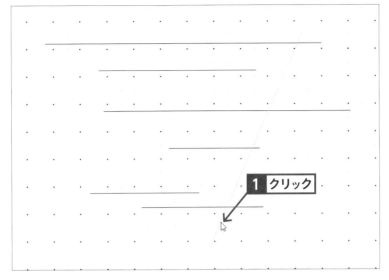

3 一括伸縮の 基準線を指示

一括伸縮する先の基準線として、斜線をクリックします。斜線が水色に変わります。

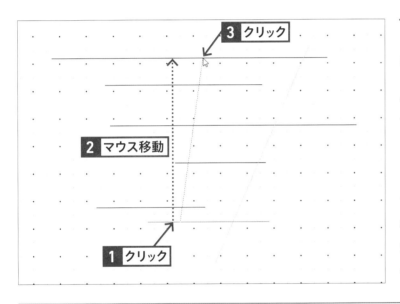

4 伸縮線を範囲選択

一括伸縮する対象線としてまず一番下の水平線をクリックします。線がピンク色に変わり、マウス移動すると、最初の対象線からマウスポインタまで追従する赤色の点線が表示されます。この点線に対象線がすべてかかるようにマウスを上に移動し、一番上の水平線をクリックします。

補足 赤い点線にかからない線がある時は、範囲選択した後で選択されていない線をクリックして対象に追加します。この時、選択された線をクリックすると選択対象から除外されます。

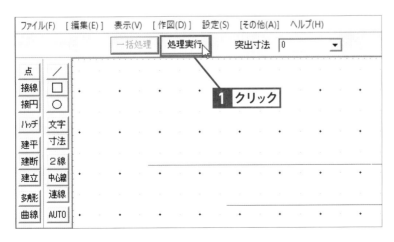

5 一括伸縮を実行

コントロールバー「処理実行」をクリックします。

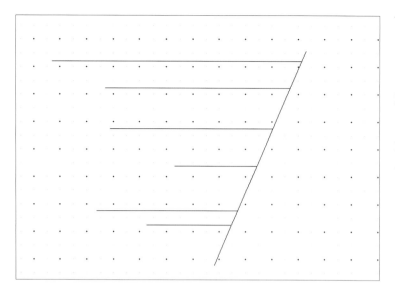

6 一括伸縮された

対象線がすべて斜線まで伸縮されました。練習用ファイルに「rensyu4-3-4kansei」と名前を付けて保存しておきましょう▶ p.36。

伸縮コマンドのコントロールバーの その他機能

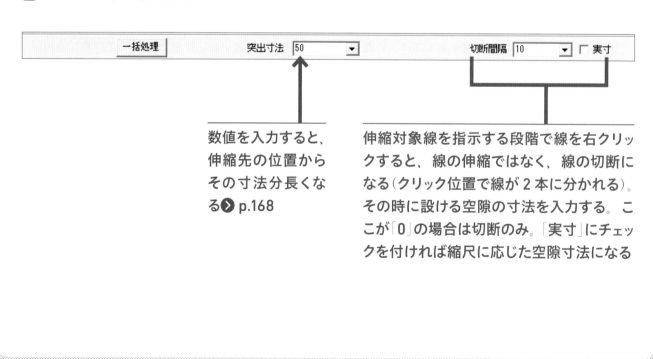

数値を入力すると、伸縮先の位置からその寸法分長くなる▶ p.168

伸縮対象線を指示する段階で線を右クリックすると、線の伸縮ではなく、線の切断になる（クリック位置で線が2本に分かれる）。その時に設ける空隙の寸法を入力する。ここが「0」の場合は切断のみ。「実寸」にチェックを付ければ縮尺に応じた空隙寸法になる

5

間取図をかく

間取図をかく前に

　5章ではここまで練習してきたコマンドを使って、住宅間取図の作図に挑戦してみましょう。完成図は下図になります。なお、間取図には便器や浴槽などの設備機器を配置してありますが、これらは「図形」コマンドを使って貼り付けます。Jw_cad内に登録されている図形を読み込んで配置するだけなので、難しい作業ではありません。

　ここでは、これから間取図をかく手順を確認し、図面上でさまざまな要素をかき分ける時に必要な「レイヤ」と「線属性」について説明します。

5章でかく間取図の完成図

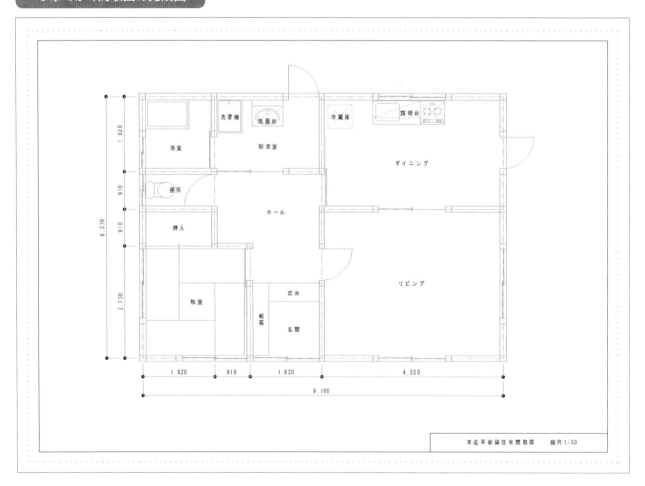

➔ 間取図の作図手順

間取図の作図は次の順に進めていきます。

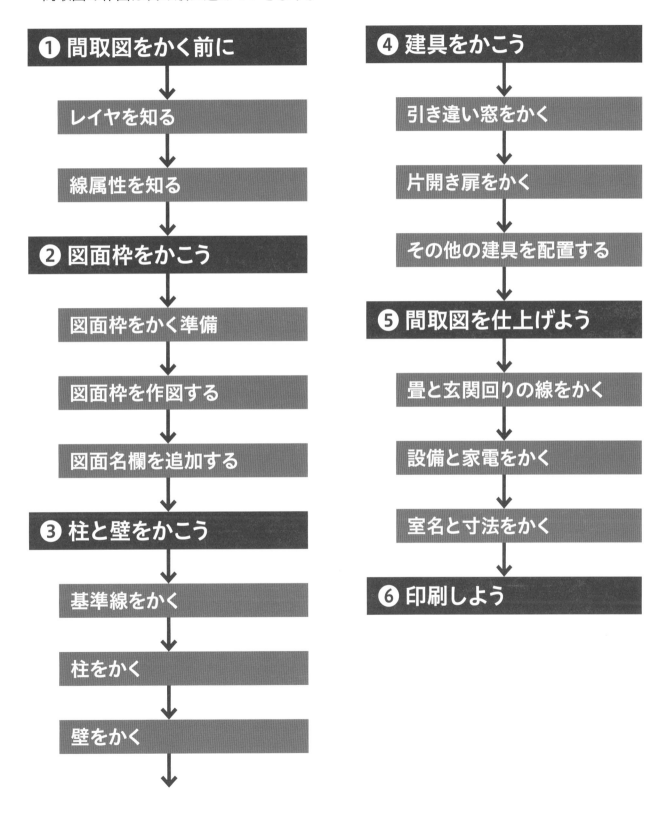

① 間取図をかく前に
レイヤを知る
線属性を知る

② 図面枠をかこう
図面枠をかく準備
図面枠を作図する
図面名欄を追加する

③ 柱と壁をかこう
基準線をかく
柱をかく
壁をかく

④ 建具をかこう
引き違い窓をかく
片開き扉をかく
その他の建具を配置する

⑤ 間取図を仕上げよう
畳と玄関回りの線をかく
設備と家電をかく
室名と寸法をかく

⑥ 印刷しよう

01 レイヤを知る

■ 練習用ファイル「madorizu」

　CADの特徴的な機能である「レイヤ」について説明します。SECTION 02以降で使う練習用ファイルにはすでにレイヤが設定されています。ここでは完成ファイル「madorizu」を使ってレイヤの説明をしていきます。

➡ レイヤとは

　「レイヤ」とは図形を作図するシートのことで、これが何枚も積み重なって1枚の図面を構成しています。建築図面では「躯体」や「設備」など要素ごとにレイヤをつくり、それぞれの図形を決まったレイヤに作図していくのが一般的です。レイヤ分けしておくと、一部のレイヤを非表示にしたり、書き込み不可にしたりできるため、図面の修正や他者との図面のやり取りがスムーズに進みます。

レイヤのイメージ

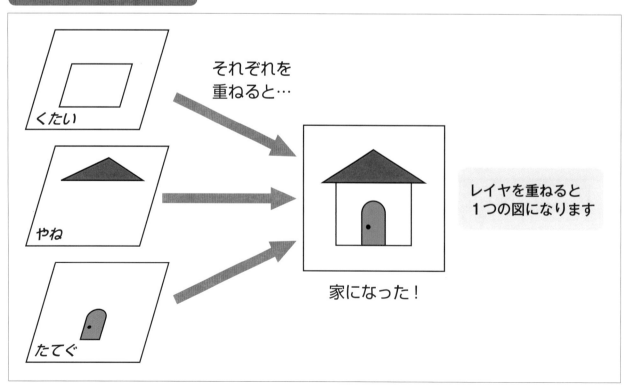

▶ レイヤの操作

レイヤの操作は右のツールバーにある「レイヤバー」と「レイヤグループバー」を使います。レイヤの切り替えもこのボタンを操作して行います。Jw_cadには16レイヤで構成されるレイヤグループが16個あり、全部で256枚のレイヤが使用可能です。ボタンが凹んでいる番号が現在作図しているレイヤ（書込みレイヤ）になり、右下の図では書込みレイヤはレイヤグループ0の0レイヤになります。書込みレイヤの名前はステータスバーに表示されます。

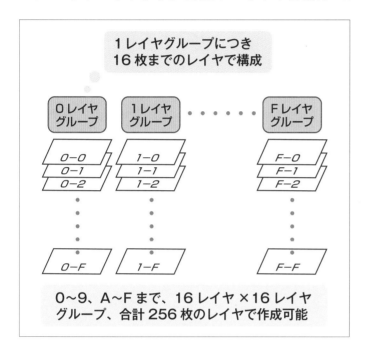

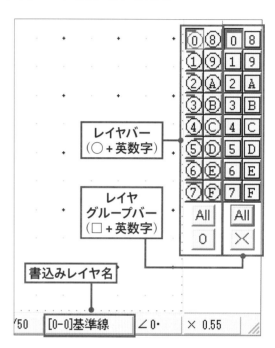

▶ 設定されているレイヤを確認する

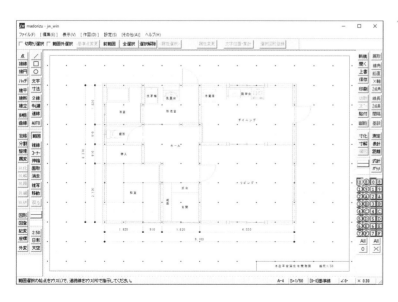

1 完成ファイルを開く

間取図の完成ファイル「madorizu」を開きます ▶ p.48。

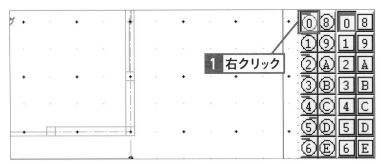

1 右クリック

2 レイヤー一覧を表示する

レイヤバーの現在の書込みレイヤボタン（ここでは⓪）を右クリックします。

3 レイヤを確認する

1 確認したら クリック

「レイヤー一覧」ウィンドウが表示されます。この間取図には次のレイヤが設定されています。

レイヤグループ：0

　レイヤ0　基準線

　レイヤ1　柱

　レイヤ2　壁

　レイヤ3　開口部・建具

　レイヤ4　設備・家電・畳など

　レイヤ5　各部名称（文字）

　レイヤ6　寸法

　レイヤ7　図面枠・図面名欄

確認したら、閉じるボタンをクリックします。

補足 レイヤグループが違えば異なる縮尺を設定することができます。

補足 レイヤバーで現在のレイヤ（書込みレイヤ）に設定されているボタン以外は、クリックするたびに、非表示→表示のみ→編集可能の順に切り替わります。

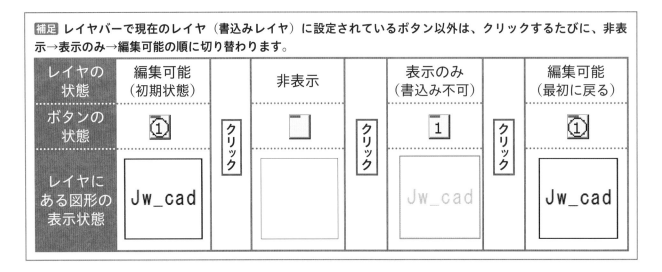

レイヤの状態	編集可能（初期状態）		非表示		表示のみ（書込み不可）		編集可能（最初に戻る）
ボタンの状態	①	クリック	□	クリック	1	クリック	①
レイヤにある図形の表示状態	Jw_cad				Jw_cad		Jw_cad

→ レイヤを切り替える

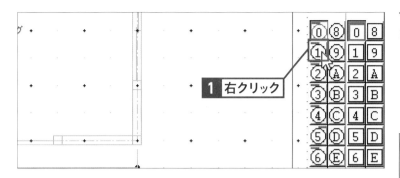

1 現在のレイヤを 1 レイヤにする

レイヤバーの［1］ボタンを右クリックします。

> **補足** 書込みレイヤの切り替えは右クリックで行います。書込みレイヤになっているボタンを右クリックすると「レイヤ一覧」ウィンドウが開きます **→** p.142。

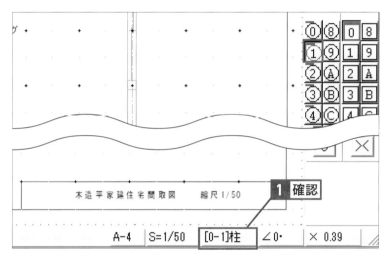

2 現在のレイヤが 1 レイヤになった

［1］ボタンが凹み、赤色の○が付きます。これが書込みレイヤ（現在作図している対象レイヤ）の状態です。ステータスバーに 1 レイヤ名が表示されます。

> **補足** 作図ウィンドウの表示は変わりませんが、これからかく図形が 1 レイヤにかかれることになります。

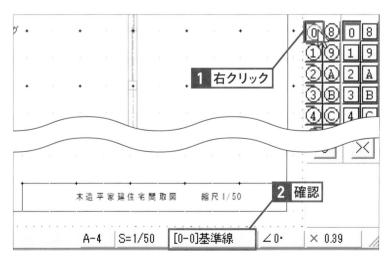

3 現在のレイヤを 0 レイヤに戻す

レイヤバーの［0］ボタンを右クリックします。［0］ボタンが凹み、ステータスバーに 0 レイヤ名が表示されます。

> **補足** 以降、各項目ごとにこの操作でレイヤを切り替えます。完成ファイル「madorizu」を保存せず閉じます。
> **→** p.27、49

02 線属性を知る

■ 練習用ファイル　なし

　線属性とは、作図する線の「線色」と「線種」の2つの要素をまとめて表現した用語です。Jw_cadでは初期設定で9種類の線色と線種が用意されていて、「線属性」ダイアログで切り替えます。

▶ 線属性を変更する

　4章までの作図練習ではすべて線色2（黒色）の実線でかきましたが、5章では線属性を使い分けます。線属性を変更する時は「線属性」ダイアログで設定します。

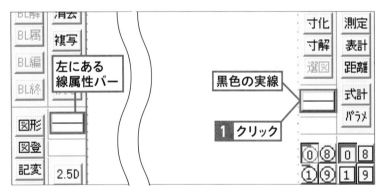

1 「線属性」ダイアログを開く

Jw_cadを起動し▶ p.28、ツールバーの線属性バーをクリックします。

補足 線属性バーは左右どちらのツールバーにもあります▶ p.29。

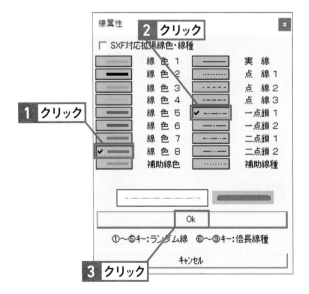

2 線属性を変更

「線属性」ダイアログが開きます。「線色8」と「一点鎖1」をクリックして、「Ok」をクリックします。

補足 文字と寸法値には線属性を設定できません。文字は「書込み文字種変更」ダイアログ▶ p.71で、寸法は「寸法設定」ダイアログ▶ p.87で色やフォントを設定（変更）します。

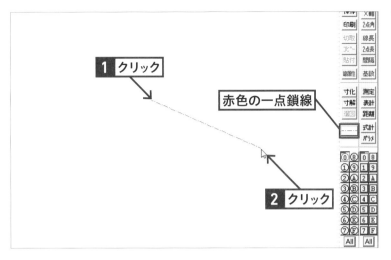

3 線属性が変更された

線属性が線色8（赤色）で一点鎖1になりました。ツールバー「／」が選択されていることを確認して、作図ウィンドウの任意の2点をクリックして線をかきます。

線属性の変更を確認したら、ファイルは保存せずに閉じましょう。

➡ 線色と線の太さ

「線属性」ダイアログでは左側で「線色」、右側で「線種」を選択して線属性を設定します。

「線色」は、画面上ではボタンに表示されている色で表現されますが、線色ごとに線の太さが設定されていて、図面を印刷すると設定された線の太さで表現されます（下図 ➋ p.186）。

なお、一番下の「補助線色」は印刷されない線です。

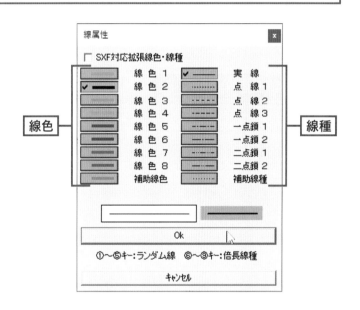

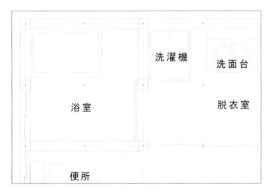

画面上での線の表現

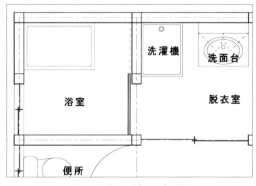

印刷時の線の表現

02 図面枠をかこう

まず、図面枠を作図します。図面枠は印刷時に確実に見えるよう、作図ウィンドウに表示されている用紙枠の250mm（印刷時は5mm）内側にかきます。

書込みレイヤはレイヤグループ0のレイヤ7（図面枠・図面名欄）、線属性は線色5（紫色）の実線です。

補足 本書では図面枠を縮尺1/50のレイヤに作図します。印刷時に用紙枠の内側5mmに図面枠を表示させるためには、用紙枠の5（mm）×50（倍）＝250mm内側で作図することになります。

図面枠の完成図

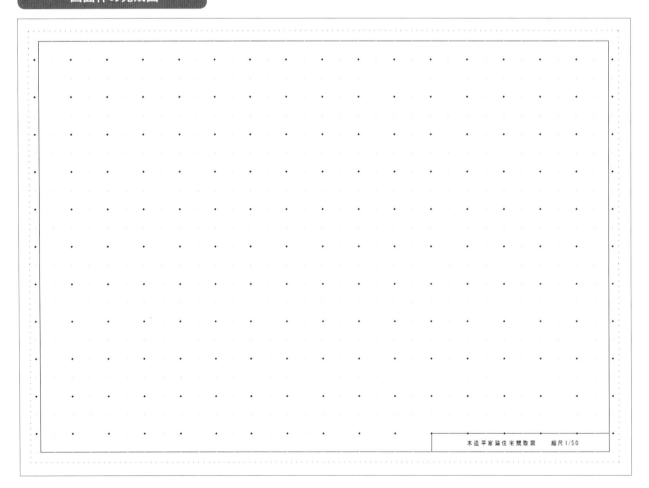

木造平家建住宅間取図　縮尺1/50

図面枠の作図手順

図面枠は長方形ですが、「用紙枠の内側250mmの位置にかく」という条件があるため、単純に矩形コマンドで長方形をかくという方法が使えません。長方形の頂点と対角点にする都合のよい読取点がないからです。いろいろなかき方が考えられますが、ここでは次の手順で図面枠を作成します。

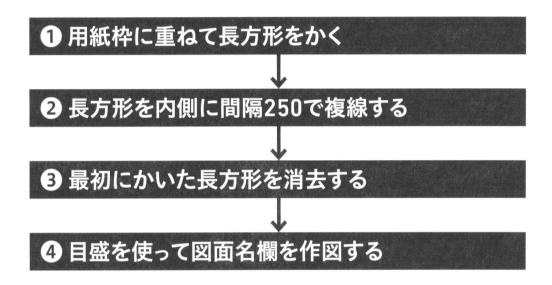

❶ 用紙枠に重ねて長方形をかく

❷ 長方形を内側に間隔250で複線する

❸ 最初にかいた長方形を消去する

❹ 目盛を使って図面名欄を作図する

用紙サイズ・縮尺・目盛点・用紙枠の確認

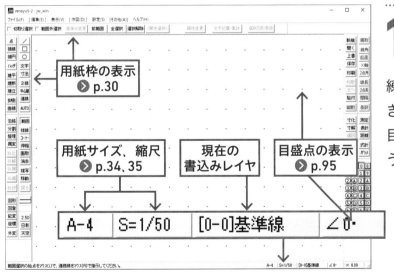

用紙枠の表示 ▶ p.30

用紙サイズ，縮尺 ▶ p.34, 35

現在の書込みレイヤ

目盛点の表示 ▶ p.95

A-4　S=1/50　[0-0]基準線　∠0

1 練習用ファイル「rensyu5-2」を開く

練習用ファイル「rensyu5-2」を開きます ▶ p.48。用紙サイズ・縮尺・目盛点・用紙枠などの表示が図のようになっているか確認します。

01 図面枠をかく準備

■ 練習用ファイル「rensyu5-2」

　図面枠をかく準備として書込みレイヤの切り替え（レイヤ7）、線属性の設定（線色5・実線）を行いましょう。また、ここでは用紙枠を利用して図面枠をかくのに、現在の用紙全体表示のままでは作業しづらいので、画面表示を縮小します。前頁で練習用ファイル「rensyu5-2」を開いたところから始めます。

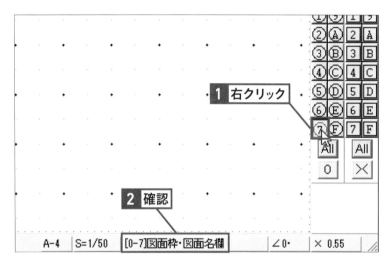

1 書込みレイヤの切り替え

レイヤバーの［7］ボタンを右クリックして凹ませます。ステータスバーの書込みレイヤボタンが「［0-7］図面枠・図面名欄」となったことを確認します。

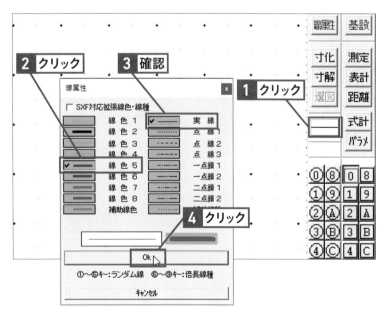

2 線属性の切り替え

線属性バーをクリックして開く「線属性」ダイアログで「線色5」をクリックし、「実線」が選択されていることを確認して「Ok」をクリックします。

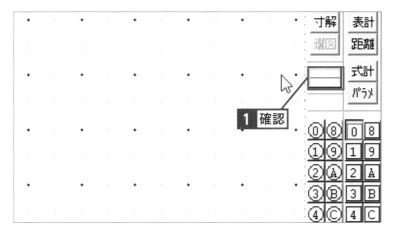

3 線属性が変更された

ダイアログが閉じたら、線属性バーの表示が変更されたことを確認します。

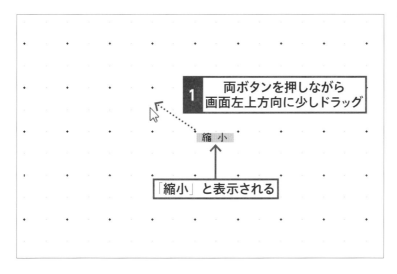

4 画面表示を縮小

両ボタン左上方向ドラッグ（図）か、マウスホイールを前方に1段階（または少し）回転します。

5 用紙枠が内側に表示された

画面表示が縮小され、用紙枠が中央寄りに表示されます。以上で準備は完了です。

> 補足 画面表示を縮小すると、ディスプレイやJw_cadの画面の表示サイズによって、左図のように目盛点が見えなくなったり見づらくなったりする場合がありますが、ここでは問題ありません。

02 図面枠を作図する

■ 練習用ファイル「rensyu5-2」

　縮小した用紙枠を利用して図面枠を作図していきます。前頁で練習用ファイル「rensyu5-2」の準備が完了したところから始めます。

《この項目の復習コマンド：「矩形」❯ p.50、「複線」❯ p.96、「消去」❯ p.76》

1 矩形コマンドを実行

ツールバーの「□」ボタンをクリックし、コントロールバーは「矩形」以外すべて空欄にします。

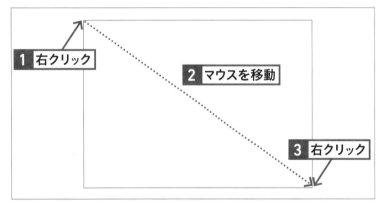

2 用紙枠上に長方形を作図

縮小表示された用紙枠の左上頂点を右クリックします。マウスを画面右下方向に移動し、用紙枠の右下頂点を右クリックします。

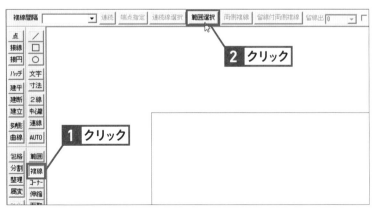

3 複線コマンドを実行

ツールバーの「複線」ボタンをクリックし、コントロールバー「範囲選択」をクリックします。

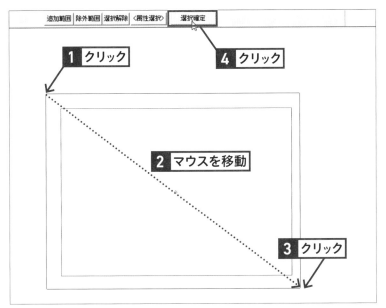

4 長方形を範囲選択

手順2でかいた長方形を矩形範囲選択で囲み、コントロールバー「選択確定」をクリックします。

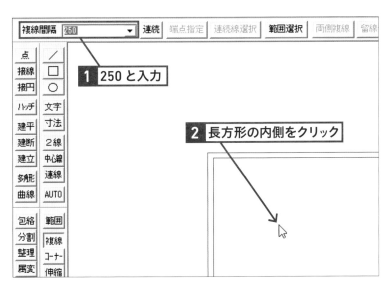

5 複線間隔と複線方向の指示

コントロールバー「複線間隔」に「250」をキー入力し、複線方向として長方形の内側にマウスを移動し、クリックして確定します。

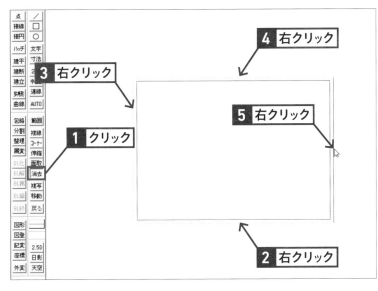

6 最初にかいた長方形を消去

ツールバーの「消去」ボタンをクリックし、手順2でかいた用紙枠上の長方形を1辺ずつ右クリックして消去します（図は4辺目の消去の場面）。

補足 長方形を矩形範囲選択で指定して消去する方法もありますが、この場合は4回右クリックする方法が簡便です。

03 図面名欄を追加する

■ 練習用ファイル「rensyu5-2」

用紙枠の250mm（印刷時は5mm）内側に図面枠が作図できました。この図面枠の右下に図面名を入れる欄を追加します。前頁で練習用ファイル「rensyu5-2」に図面枠を作図したところから始めます。

≪この項目の復習コマンド：「用紙全体表示」● p.69、「線」● p.38、「文字」● p.66≫

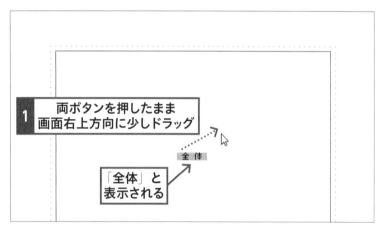

1 用紙全体表示にする

両ボタン右上方向ドラッグで、画面表示を元の用紙全体表示に戻します。

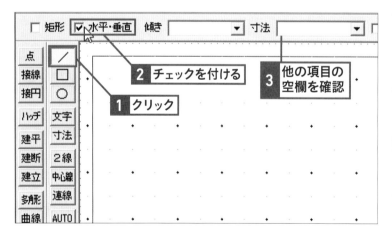

2 線コマンドを実行

ツールバーの「／」ボタンをクリックし、コントロールバー「水平・垂直」にチェックを付けます。コントロールバーの他の項目はすべて空欄にします。

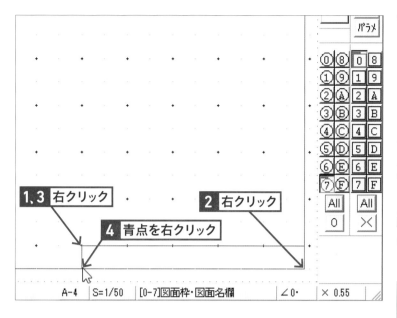

3 図面名欄をかく

マウスポインタを図面枠右下に移動します。図の黒点**1**を線の始点として右クリックし、終点として図面枠頂点**2**を右クリックして水平線をかきます。次に水平線の始点と同じ点**3**を右クリック、終点は図面枠上の青点**4**を右クリックして垂直線をかきます。

> **補足** うまく点が読み取れない場合は、画面表示を拡大してから近くを右クリックすれば、確実に読み取れます。

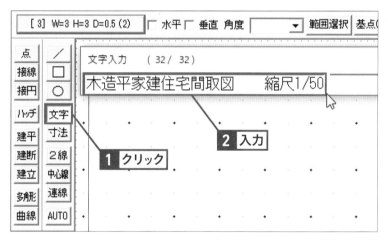

4 図面名を入力

ツールバーの「文字」ボタンをクリックし、「文字入力」ボックスに、ここでは「木造平家建住宅間取図　　縮尺1/50」とキー入力します。

> **補足** 「縮尺」の前は、スペースキーを2回押して全角スペースを2つ入力します。

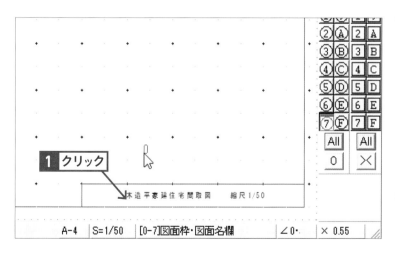

5 図面名欄に配置

マウスポインタを図面名欄に移動して、文字枠がバランスよく配置される適当な位置でクリックします。ファイルに「rensyu5-2kansei」と名前を付けて保存します ▶ p.36。

03 柱と壁をかこう

次に柱と壁を作図します。柱と壁を作図するためには基準線が必要です。ここでは次の手順で柱と壁をかいていきます。

▶ 柱と壁の作図手順

❶ 基準線をかく

正式な建築平面図では、「通り芯」と呼ばれる基準線をかき、端点に通り芯記号を付加して、設計や建築の際の重要な要素とします。本書では、間取図内部に納まる基準線だけをかき、柱、壁、開口部などの作図の拠り所とします。書込みレイヤはレイヤグループ0のレイヤ0（基準線）、線属性は線色1（水色）の一点鎖1（密な一点鎖線）です。

基準線の完成図

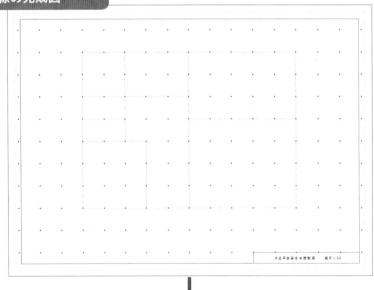

❷ 柱をかく

　間取図における柱の表現は、真上から平面的に見た柱の断面形状（断面線は正方形）とします。この図面の柱の寸法は150mm角とします。書込みレイヤはレイヤグループ0のレイヤ1（柱）、線属性は線色3（緑色）の実線です。

柱の完成図

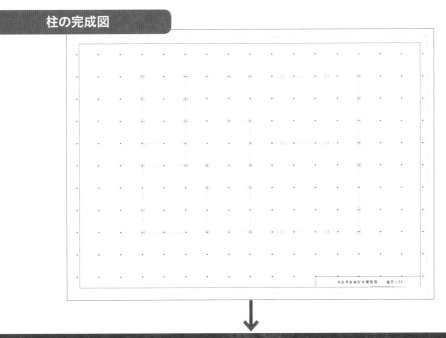

❸ 壁をかく

　間取図における壁の表現は、真上から平面的に見た壁の断面形状とします。この図面の柱の寸法が150mm角なので、壁の厚さも同じ150mmとします。書込みレイヤはレイヤグループ0のレイヤ2（壁）、線属性は線色3（緑色）の実線です。

壁の完成図

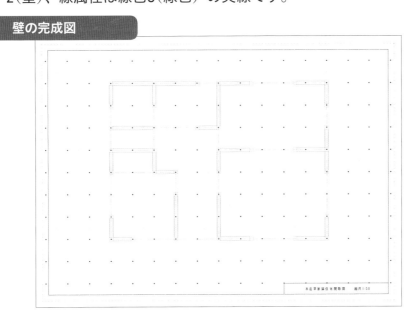

01 基準線をかく

■ 練習用ファイル「rensyu5-3-1」

　柱や壁の作図のガイドとなる基準線を作図します。図面枠を書き終えたところから始めます。ここから始める方は上記練習用ファイルを開いてください。

≪この項目の復習コマンド：「線」 ❷ p.38≫

➡ レイヤと線属性の設定

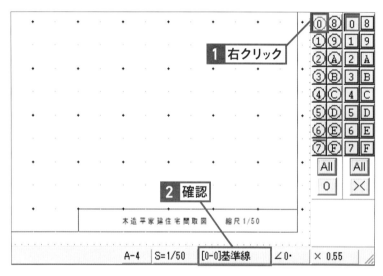

1 書込みレイヤの切り替え

レイヤバーの［0］ボタンを右クリックして、レイヤ0（基準線）を書込みレイヤに切り替えます。

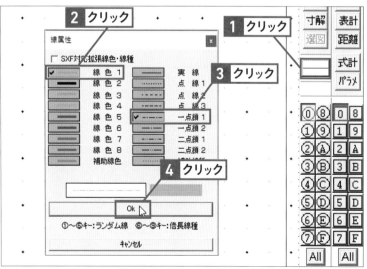

2 線属性の切り替え

線属性バーをクリックして開く「線属性」ダイアログで「線色1」と「一点鎖1」をクリックし、「Ok」をクリックします。

> 補足 ダイアログが閉じたら、線属性バーの表示が変更されたことを確認します。

➡ 基準線をかく

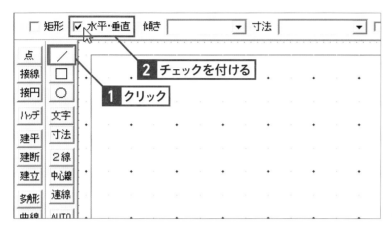

1 線コマンドを実行

ツールバーの「／」ボタンをクリックして、コントロールバー「水平・垂直」にチェックを付けます。

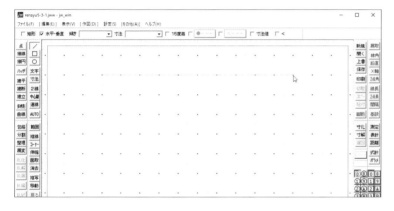

2 基準線を作図

下の完成図を見ながら、黒点を読取点として基準線をかいていきます。作図が終了したらファイルに「rensyu5-3-1kansei」と名前を付けて保存します➡ p.36。

基準線の完成図

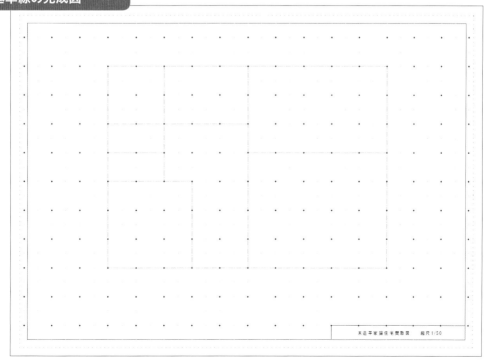

02 柱をかく

■ 練習用ファイル「rensyu5-3-2」

柱は寸法のきまった正方形を目盛点に合わせて配置するだけです。ここから始める方は上記練習用ファイルを開いてください。

≪この項目の復習コマンド：「矩形」 ● p.52≫

➡ レイヤと線属性の設定

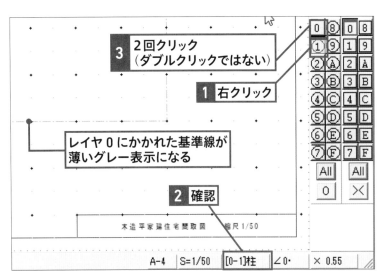

1 レイヤの切り替えと表示設定

レイヤバーの［1］ボタンを右クリックしてレイヤ1（柱）を書込みレイヤに切り替え、［0］ボタンを2回クリックして、○印のない数字表示にします。

補足 レイヤ0が「表示のみ（書込み不可）」レイヤになります● P.142。

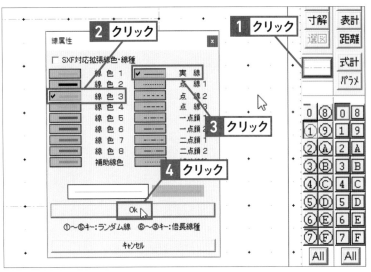

2 線属性の切り替え

線属性バーをクリックして開く「線属性」ダイアログで「線色3」と「実線」をクリックし、「Ok」をクリックします。

補足 ダイアログが閉じたら、線属性バーの表示が変更されたことを確認します。

→ 柱をかく

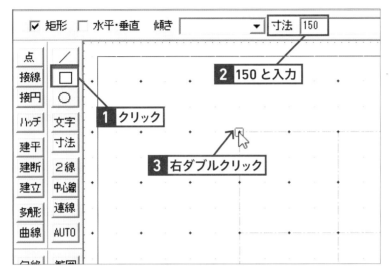

補足 基準線の交点や正方形が小さく見えて操作しづらい時は、適宜画面表示を拡大・移動してください● p.68。

1 矩形コマンドを実行

ツールバーの「□」ボタンをクリックし、コントロールバー「寸法」に「150」とキー入力します。

2 1つ目の柱を作図

ここでは左上隅の基準線交点（黒点）を右ダブルクリックし、柱を作図します。あとは下の完成図を見ながら、目盛点を読取点として柱を作図していきます。作図が終了したらファイルに「rensyu5-3-2kansei」と名前を付けて保存します● p.36。

柱の完成図

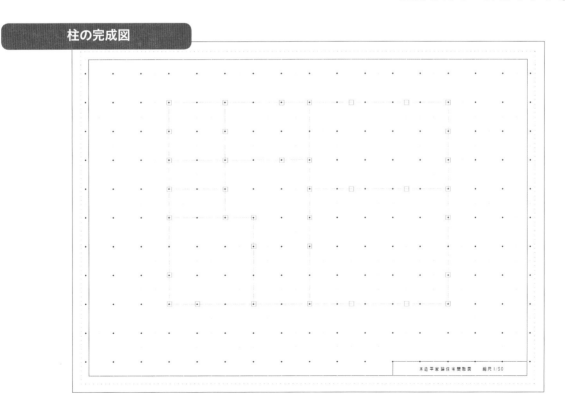

03 壁をかく

■ 練習用ファイル「rensyu5-3-3」

　前項でかいた柱間を1本ずつ線で結んで壁の線とします。線コマンドで1本ずつかくこともできますが、ここでは図形複写コマンドを併用して効率的に作図しましょう。ここから始める方は上記練習用ファイルを開いてください。

≪この項目の復習コマンド：「線」 ● p.38、「図形複写」 ● p.108≫

➡ レイヤと線属性の設定

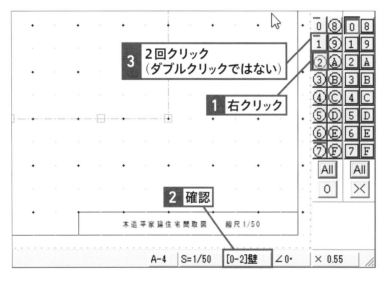

1 レイヤの切り替えと表示設定

レイヤバーの［2］ボタンを右クリックして、レイヤ2（壁）を書込みレイヤに切り替え、レイヤバーの［1］ボタンを2回クリックして、○印のない数字表示にします。

補足 レイヤ0と1が「表示のみ（書込み不可）」レイヤになります ● p.142。

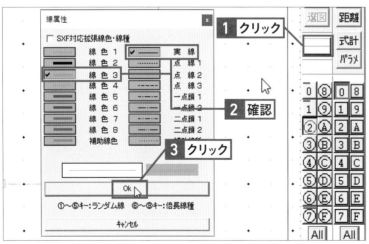

2 線属性を確認

線属性は柱の作図と同じ「線色3」「実線」になっているか確認します。

注意! 練習用ファイル「rensyu5-3-3」を開いて始めた場合は、線属性が初期設定に戻っているため、図の設定をしてください。

→ 寸法のちがう壁を 3 つかく

まず、寸法の違う3種類の壁を1つずつかきます。

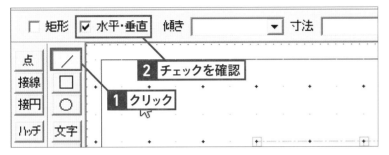

1 線コマンドを実行

ツールバーの「／」ボタンをクリックし、コントロールバー「水平・垂直」のチェックを確認します。

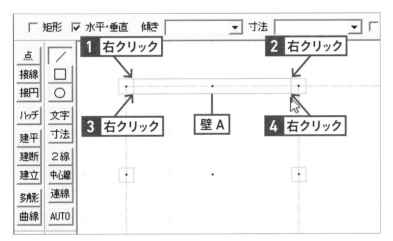

2 左上端の壁を作図

画面の左上付近を拡大表示し、左上端の柱からその右にある柱までの壁をかきます。始点・終点として柱の角を右クリックして、柱間に平行線を作図します。壁Aができました。

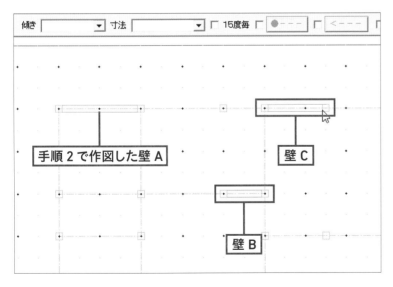

3 さらに 2 つの壁を作図

図の位置に壁Bと壁Cを作図します。作図方法は手順2と同じです。

➡ 壁を複写する

前項でかいた壁Aを、図形複写コマンドで同じ寸法の個所にコピーします。

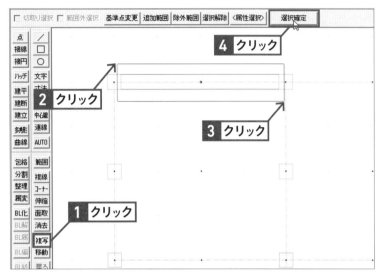

1 図形複写コマンドを実行

ツールバーの「複写」ボタンをクリックします。壁Aの2本の線を範囲選択し、コントロールバー「選択確定」をクリックします。

> 補足 やりにくい場合は画面表示を拡大します。失敗したらEscキーを押せば元に戻せます。

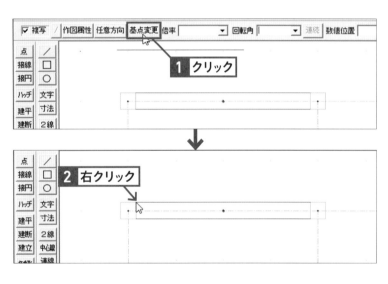

2 基準点を変更

平行線の中心にある基準点を左端に変更します。コントロールバー「基点変更」をクリックし、図の柱の角を右クリックします。

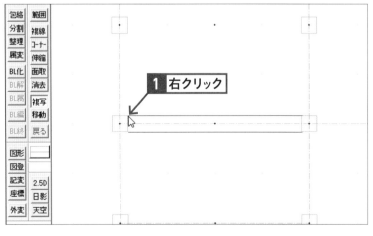

3 同じ寸法の柱間に複写

仮線が表示されたマウスポインタを壁Aから2つ下の柱間に移動し、柱の角に合わせて右クリックします。壁Aが複写されます。次頁の完成図を参考にして壁Aと同じ寸法の壁をすべて配置しましょう。

補足 垂直に配置する場合は、複写先を右クリックで指示する前にコントロールバー「回転角」を「90」に設定すれば、赤く表示された仮線も90度回転します。垂直配置が終わったら、コントロールバー「回転角」を空欄にして元に戻します。

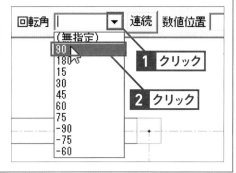

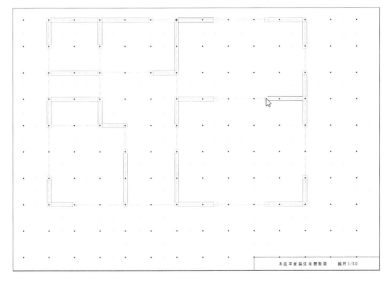

4 壁B、Cも複写

下の完成図を参考に壁BとCも複写して、すべての壁を作図します。作図が終了したらファイルに「rensyu5-3-3kansei」と名前を付けて保存します▶ p.36。

壁の完成図

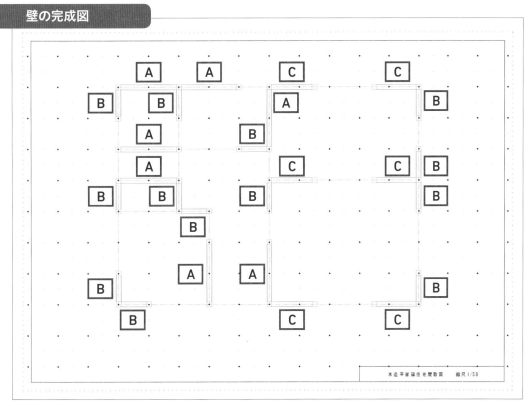

SECTION

04 建具をかこう

前項で壁を作成していない開口部に納める建具を作図します。平面図において敷居や窓枠などの線は「見えがかりの線」などと呼ばれ、段差線として細い実線でかきます。そこに納める建具の線は断面線なので、太めの実線でかきます。2種類の線を使い分けるため、建具は線属性を切り替えながら作図を進めます。

建具の完成図

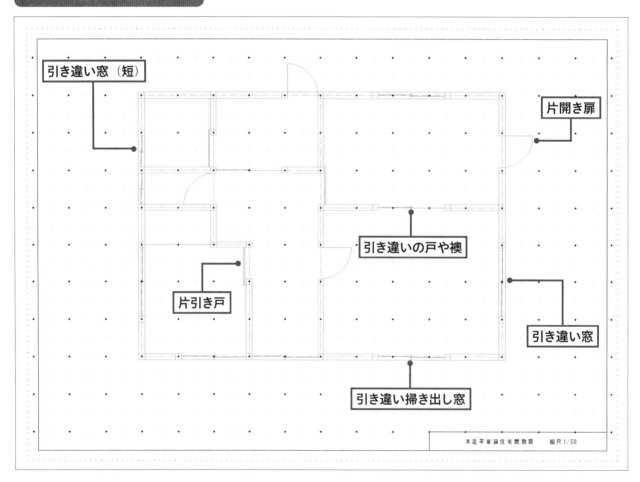

引き違い窓（短）

片開き扉

引き違いの戸や襖

片引き戸

引き違い窓

引き違い掃き出し窓

木造平家建住宅間取図　縮尺1/50

➡ 建具の作図手順

　1つの建具をかき、同じ種類の建具の位置に図形複写コマンドで複写していきます。必要に応じて角度、反転などの調整を施す方法で作図します。複数の種類の建具がありますが、ここでは引き違い窓と片開き扉のみ作図し、他の建具は練習用ファイルにある建具を図形複写コマンドでコピーします。

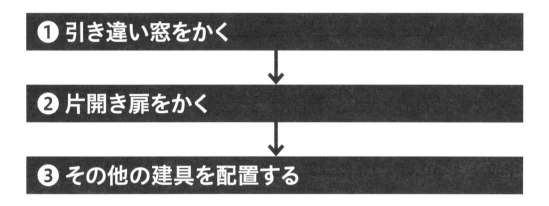

❶ 引き違い窓をかく

❷ 片開き扉をかく

❸ その他の建具を配置する

➡ 引き違い窓の寸法

　ここで作図する引き違い窓の寸法は、右図のようになっています。作図時に細かく数値を指定するので、どの部分の数値かわからなくなったら、右図を参照してください。

　開口部の2本の線は、柱間を線で結ぶだけなので簡単にかけますが、引き違い窓の3本の線は読取点が不足しているので、作図には工夫が必要です。

　いろいろな方法がありますが、本書では複線コマンドと伸縮コマンドを使う方法を紹介します。

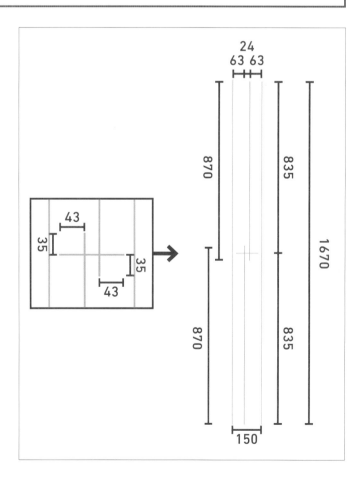

01 引き違い窓をかく

■ 練習用ファイル「rensyu5-4-1」

　まず、東壁（図面右下）にある引き違い窓を作図しましょう。ここでは複線コマンドと伸縮コマンドを使って作図していきます。画面は適宜、拡大表示してください。

《この項目の復習コマンド：「線」 ❷ p.38、「複線」 ❷ p.96、「伸縮」 ❷ p.126、「図形複写」 ❷ p.108》

➡ 開口部の線をかく

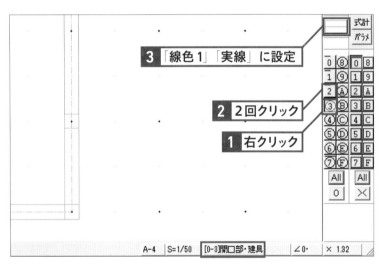

3 「線色1」「実線」に設定
2 2回クリック
1 右クリック

1 レイヤの切り替えと表示設定

レイヤバーの［3］ボタンを右クリックして、レイヤ3（開口部・建具）を書込みレイヤに切り替え、レイヤ2を表示のみレイヤにします。線属性は「線色1」「実線」にします ❷ p.144。

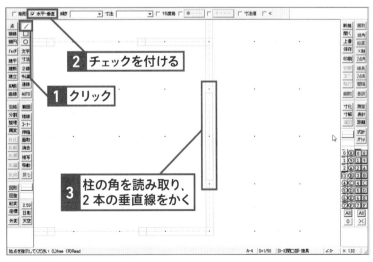

2 チェックを付ける
1 クリック
3 柱の角を読み取り、2本の垂直線をかく

2 開口部の線をかく

ツールバーの「／」ボタンをクリックし、コントロールバー「水平・垂直」にチェックを付けます。マウスを図面の右下にある縦の開口部に移動し、開口部の線をかきます。

補足 p.164で「引き違い窓」と示されている箇所です。

➡ 複線して窓を作図

引き違い窓の線は、前頁の手順2でかいた開口部の線や柱の線を複線にして作図します。

1 線属性を変更

線属性を「線色3」「実線」にします。

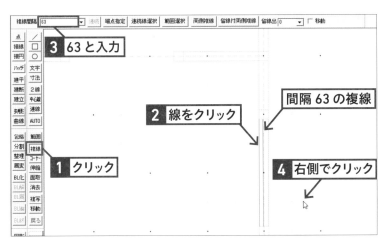

2 開口部左の線を複線

ツールバーの「複線」ボタンをクリックし、開口部左側の線をクリックします。コントロールバー「複線間隔」に「63」とキー入力し、複線方向として選択した開口部の線の右側でクリックし、確定します。

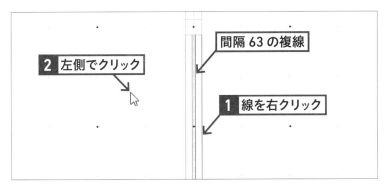

3 開口部右の線も複線

開口部右側の線を右クリックし、選択した開口部の線の左側でクリックすると、前回と同じ間隔63の複線ができます ➡ p.99。

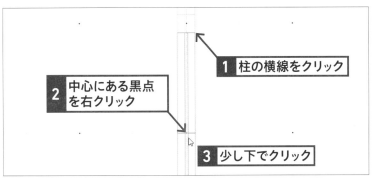

4 引き違い中央の線を作図

開口部上端にある柱の線をクリックし、複線先として開口部の中心にある黒点を右クリックしたら、少し下でクリックして複線を確定します。

補足 開口部の線は「線色1」ですが、複線にした窓の線は、現在の線属性「線色3」になります。

➡ 窓線の長さを調整して配置

　複線にした3本の線を、伸縮コマンドでp.165の図の寸法に縮めます。読取点がないので、伸縮コマンドのコントロールバー「突出寸法」 ➡ p.136を利用します。

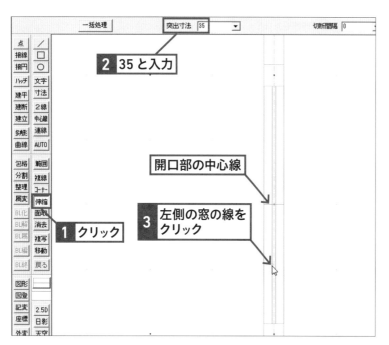

1 伸縮コマンドの実行

ツールバーの「伸縮」ボタンをクリックし、コントロールバー「突出寸法」に「35」とキー入力します。まず、左側の窓の線を縮めるので、残す部分となる開口部の中心線から下側の線上をクリックします。

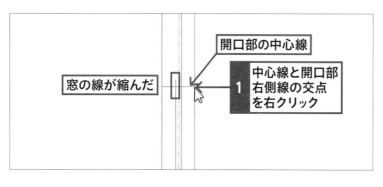

2 左側の窓の線を縮める

伸縮位置として、図の交点を右クリックします。左側の窓の線が中心線から35mm上に突出した形で縮みます。

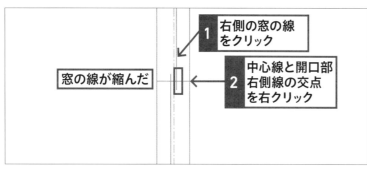

3 右側の窓の線も縮める

右側の窓の線は残す部分となる開口部の中心線から上側の線上をクリックします。伸縮位置として、手順2と同じ交点を右クリックすると、右側の窓の線が中心線から35mm下に突出した形で縮みます。

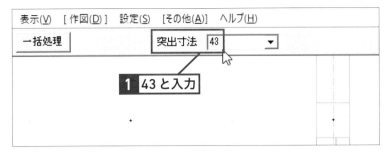

4 突出寸法を変更

コントロールバー「突出寸法」に「43」とキー入力します。

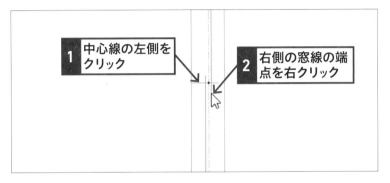

5 中心線の右側を縮める

中心線の左側の線上をクリックします。伸縮位置として、右側の窓線の端点を右クリックします。中心線の右側が窓線から43mm突出した形で縮みます。

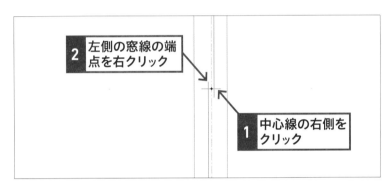

6 中心線の左側も縮める

手順5と同様にして中心線の左側も縮めます。これで引き違い窓が作図できました。

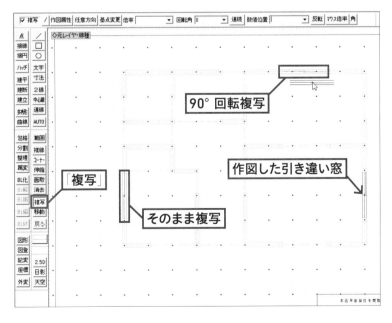

7 引き違い窓を複写

ツールバーの「複写」ボタンをクリックして、作図した引き違い窓を図の2箇所にコピーしましょう。向きはコントロールバー「回転角」で設定します ▶ p.163。複写が終了したらファイルに「rensyu5-4-1kansei」と名前を付けて保存します ▶ p.36。

02 片開き扉をかく

■ 練習用ファイル「rensyu5-4-2」

　片開き扉は東壁（図面右端）に1つかいて、他は図形複写コマンドでコピーします。本書では屋外に出る片開き扉に段差線を付け、室内の片開き扉は段差線を消去します。扉の線は断面線なので線色3（緑色）の実線、扉の軌跡線と段差線は線色1（水色）の実線でかきます。

　≪この項目の復習コマンド：「線」 ▶ p.38、「円弧」 ▶ p.60、「図形複写」 ▶ p.108≫

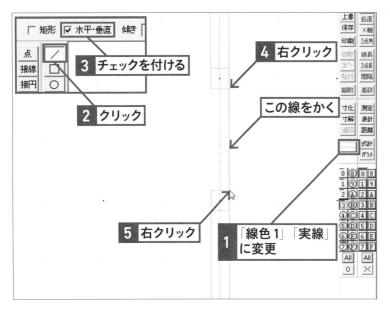

1 線属性を変更して段差線をかく

線属性を「線色1」「実線」に切り替えます▶ p.144。さきほど引き違い窓をかいた壁の上部にある開口部にマウスポインタを移動し、ツールバーの「／」ボタンをクリックします。コントロールバー「水平・垂直」にチェックを付け、図のように柱の外側の角間に垂直線をかきます。これが段差線です。

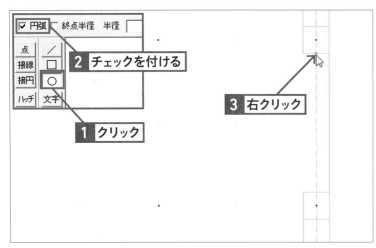

2 軌跡線をかく

ツールバーの「○」ボタンをクリックして、コントロールバー「円弧」にチェックを付け、円弧（扉の回転）の中心として、図の交点を右クリックします。

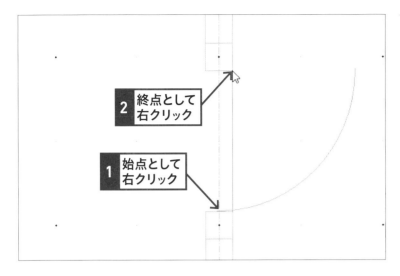

3 円弧の位置を指定

マウスポインタの移動に追従して仮の円が表示されます。円弧の始点として **1** の交点、終点として **2** の交点を右クリックします。

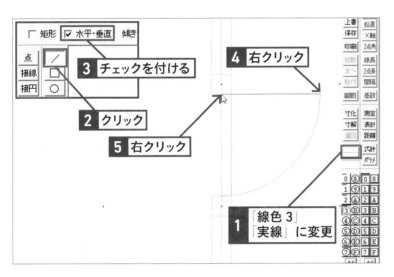

4 線属性を変更して扉の線を作図

線属性を「線色3」「実線」に切り替えます。ツールバーの「／」ボタンをクリックしてコントロールバー「水平・垂直」にチェックを付け、円弧の終点から柱と基準線の交点（円弧の中心）まで水平線をかきます。片開き扉が作図できました。

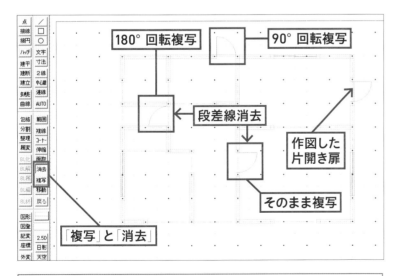

5 片開き扉を複写

ツールバーの「複写」ボタンをクリックして、片開き扉を図の3箇所にコピーします。向きはコントロールバー「回転角」で設定します ▶ p.163。室内の片開き扉はツールバーの「消去」ボタンをクリックして、段差線（手順1）を消去します ▶ p.76。複写が終了したらファイルに「rensyu5-4-2kansei」と名前を付けて保存します ▶ p.36。

補足 片開き扉を複写する時は、基準点を配置しやすい位置に変更してください ▶ p.115。

03 その他の建具を配置する

■ 練習用ファイル「rensyu5-4-3」

　その他の建具は図形複写コマンドで指定された位置に複写しましょう。ここでは練習用ファイル「rensyu5-4-3」を開いて練習します。ここまで作図した図面ファイルで続けたい場合は、コピー／貼り付けコマンドで練習用ファイル「rensyu5-4-3」からその他の建具をコピーして進めてください（次頁補足）。

≪この項目の復習コマンド：「図形複写」 ❯ p.108≫

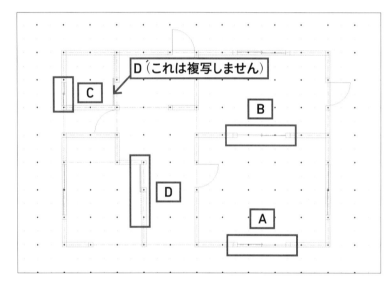

1 練習用ファイルを開いて建具を複写

練習用ファイル「rensyu5-4-3」を開きます。その他の建具A〜Dが1箇所ずつ配置されています。次頁の完成図を参考に、図形複写コマンドを使って、必要に応じ図形の基準点を変更して建具を指定位置に複写します。

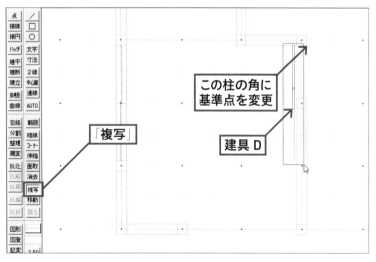

2 建具Dの基準点変更

建具Dは基準点を、図形上ではない図の位置に変更して複写します ❯ p.115。

すべての複写が終了したらファイルに「rensyu5-4-3kansei」と名前を付けて保存します ❯ p.36。

建具の完成図

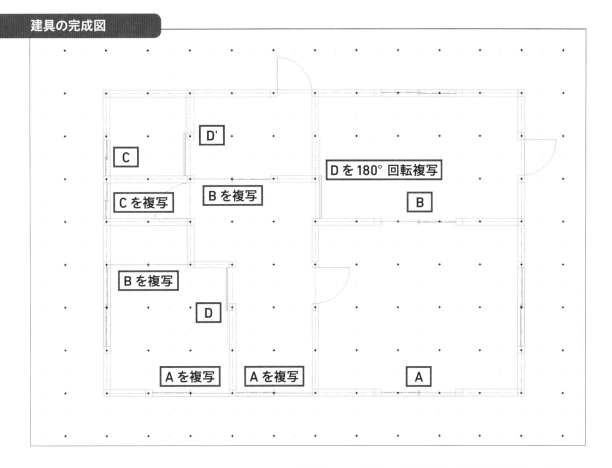

補足 練習用ファイル「rensyu5-4-3」から現在使用している図面
ファイルへ図形をコピーする場合は、Jw_cadを2つ起動しなくて
はなりません。このため、現在使用している図面ファイルの「開く」
コマンドは使わずに、デスクトップのショートカットから新しくJw_
cadを起動し、起動したJw_cadの「開く」コマンドから練習用ファ
イル「rensyu5-4-3」を開きます。これでJw_cadの図面が2つ使
用できます。また、違うファイル間では「図形複写」コマンドでの
コピーができないため、「コピー」「貼り付け」コマンドを使います。
コピーの方法は次の通りです。

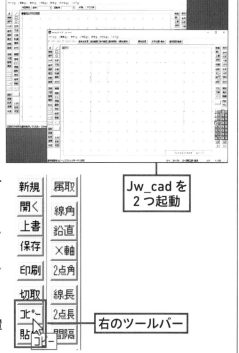

**Jw_cad を
2 つ起動**

①ファイル「rensyu5-4-3」でツールバーの「範囲」ボタン（左のツー
ルバーにあります）をクリックし、図形を矩形範囲選択
②図形が選択色になったらツールバー「コピー」をクリック
③ここまで作図した図面ファイルに移動し、ツールバー「貼付」をク
リック
④指定位置をクリックして貼り付け。終了したらツールバー「／」をク
リック

なお、建具DとD'は範囲選択時に手順2（D'も同様の柱の角）の位置
に基準点を変更してください ▶ p.115。

右のツールバー

05 間取図を仕上げよう

前項までで間取図に必要な図形はほぼかき終えました。ここでは、設備機器や家電の図形、畳や玄関回りの線、室名・寸法などをかき加えて間取図を仕上げます。

➡ 間取図の仕上げ手順

❶ 畳と玄関回りの線をかく

和室は4畳半の設定です。畳の置き方はひととおりではありませんが、本書では下図のように配置します。図面上では隣どうしの畳は辺が重なるため、畳は矩形ではなく線でかきます。玄関回りも線でかきますが、靴箱は矩形で作図します。書込みレイヤはレイヤグループ0のレイヤ4（設備・家電・畳など）、線属性は線色1（水色）の実線です。

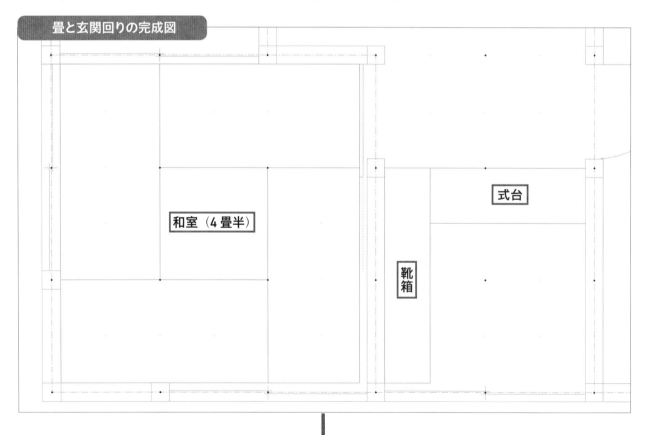

畳と玄関回りの完成図

和室（4畳半）　式台　靴箱

❷ 設備と家電をかく

設備機器や家電製品は、Jw_cadをインストールした「jww」フォルダーにある図形データを読み込んで、図面上に貼り付けます。

設備と家電の完成図

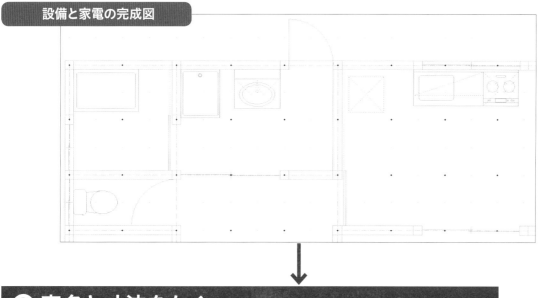

❸ 室名と寸法をかく

室名や設備名の文字と寸法をかいて間取図を完成させます。書込みレイヤは文字がレイヤグループ0のレイヤ5（各部名称（文字））、寸法がレイヤグループ0のレイヤ6（寸法）です。

室名と寸法の完成図

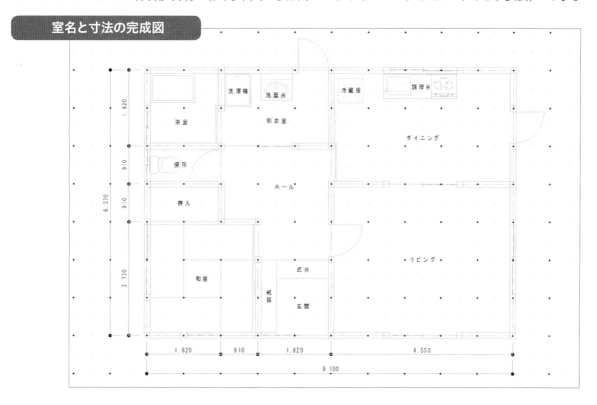

01 畳と玄関回りの線をかく

■ 練習用ファイル「rensyu5-5-1」

　和室に敷く畳の線と玄関回りの線をかきましょう。ここでは線コマンドと矩形コマンドを使いますが，読取点に注意します。ここから始める方は上記練習用ファイルを開いてください。≪この項目の復習コマンド：「線」 ❷ p.38、「矩形」 ❷ p.50≫

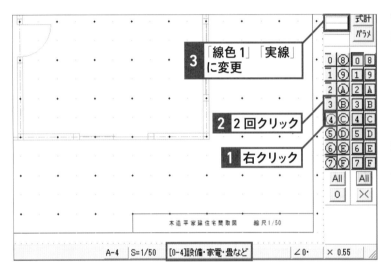

1 レイヤと線属性の設定

レイヤバーの［4］ボタンを右クリックして、レイヤ4（設備・家電・畳など）を書込みレイヤに切り替え、レイヤ3を表示のみレイヤにします。線属性は「線色1」「実線」にします❷ p.144。

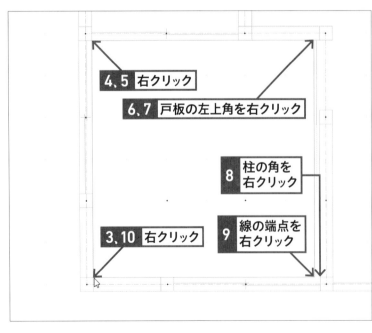

2 畳の周囲の線をかく

マウスポインタを和室に移動し、柱や片引き戸の角を読み取りながら、畳の周囲の線をかきます。線コマンドの「水平・垂直」モードで、図に示した❸〜❿の順番で右クリックしていきます。

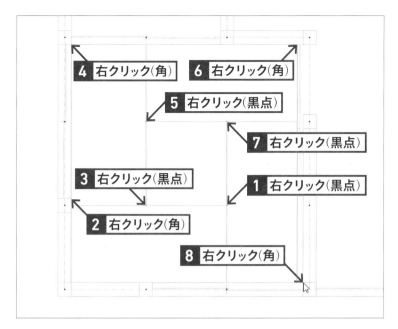

3 畳の内部の線をかく

内部は始点を黒点、終点を柱や片引き戸の角に取りながらかきます。線コマンドの「水平・垂直」モードの実行を確認し、図に示した**1**〜**8**の順番で右クリックしてかいていきましょう。内部の線をすべてかいたら畳の作図は終了です。

4 玄関回りをかく

マウスポインタを玄関に移動し、靴箱は矩形コマンドで、左下柱の右上角**2**と図の青点**3**を右クリックして作図します。式台を表す2本の水平線は、線コマンドの「水平・垂直」モードでかきます。始点としてそれぞれ図の青点**5 7**を右クリックしますが、どちらも終点は図の柱の左下角**6 8**を右クリックします。
玄関回りの作図が終了したらファイルに「rensyu5-5-1kansei」と名前を付けて保存します▶ p.36。

> **注意!** 玄関回りの線は青点を利用するため、画面表示を十分に拡大してから作図してください。また、上記以外の作図方法もあるので、操作に慣れてきたらいろいろ試してみてください。

02 設備と家電をかく

■ 練習用ファイル「rensyu5-5-2」

　設備機器と家電は、「図形」コマンドを使って該当する図形データを読み込み、配置するだけの作業です。配置位置によっては回転や反転を行う場合もあります。既成の図形データは線色2（黒色）で登録されているものがあるので、本書ではすべて線色1（水色）に変更して貼り付けます。ここから始める方は上記練習用ファイルを開き、p.176のレイヤバーと線属性を設定してください。

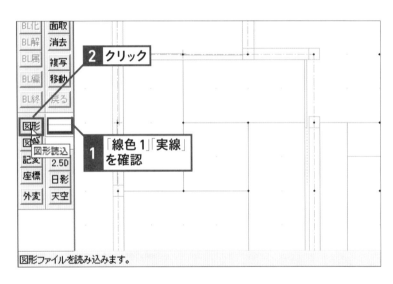

1 図形コマンドを実行

マウスポインタを作図ウィンドウ左下に移動します。線属性バーが「線色1」「実線」であることを確認し、ツールバーの「図形」ボタン（「その他」メニュー→「図形」）をクリックします。

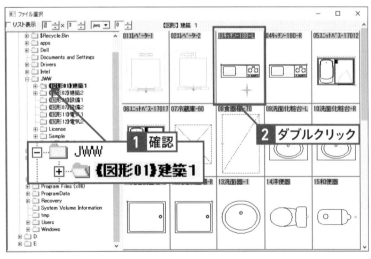

2 調理台を選択

「ファイル選択」ウィンドウが開きます。ツリー表示で「JWW」フォルダーの「《図形01》建築1」フォルダーが開いていることを確認して、ファイル一覧の図形データから「03キッチン-180-L」をダブルクリックします。ウィンドウが閉じます。

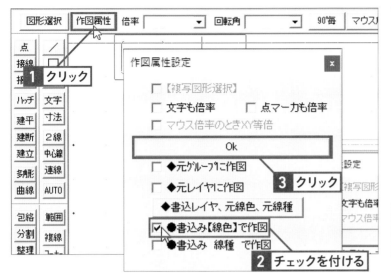

3 線色を書込みレイヤに合わせる

コントロールバー「作図属性」をクリックして「作図属性設定」ダイアログを開き、「●書込み【線色】で作図」にチェックを付けて「Ok」をクリックします。

補足 この設定は、現在の図面ファイルが開いている間は有効です。

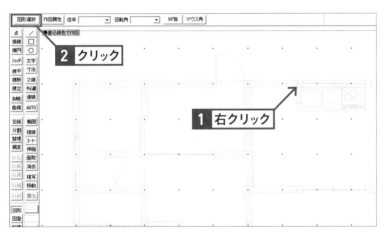

補足 適当な読取点がない場合は、完成図とだいたい同じ位置にクリックして貼り付けてください。

4 調理台を貼り付け

マウスポインタをダイニングの図の柱左下角に合わせ、右クリックします。調理台が線色1で貼り付けられました。コントロールバー「図形選択」をクリックし、下の完成図を参考に他の図形も貼り付けましょう。終了したらファイルに「rensyu5-5-2kansei」と名前を付けて保存します ▶ p.36。

設備と家電の完成図

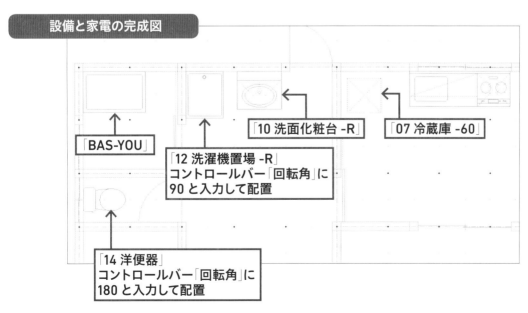

03 室名と寸法をかく

■ 練習用ファイル「rensyu5-5-3」

　室名と設備名，寸法をかいて間取図は完成です。文字は部屋や機器のだいたい中心になる位置に配置してください。寸法は完成図のように入れてみましょう。ここでは文字と寸法はレイヤを切り替えて作図します。なお，文字と寸法には線属性は設定しません▶ p.144。≪この項目の復習コマンド：「文字」▶ p.66，「寸法」▶ p.83≫

▶ 室名や設備名をかく

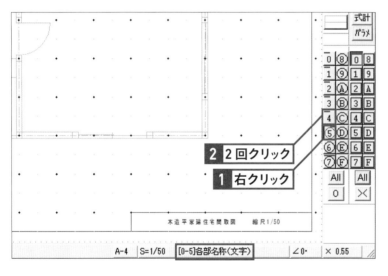

1 レイヤの設定

レイヤバーの［5］ボタンを右クリックして、レイヤ5（各部名称（文字））を書込みレイヤに切り替え、レイヤ4を表示のみレイヤにします。

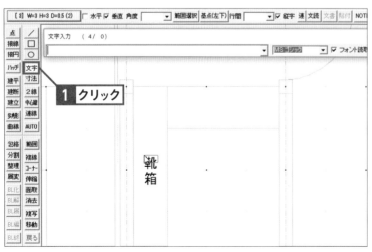

2 文字コマンドを実行

ツールバーの「文字」ボタンをクリックし、次頁またはp.175の完成図を参考に室名や設備名をかいていきます。「靴箱」は縦書きです▶ p.78。

→ 寸法をかく

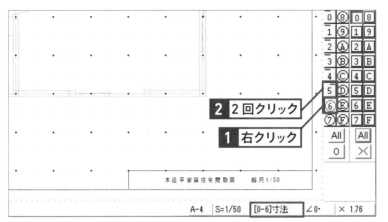

1 レイヤの設定

レイヤバーの［6］ボタンを右クリックして、レイヤ6（寸法）を書込みレイヤに切り替え、レイヤ5を表示のみレイヤにします。

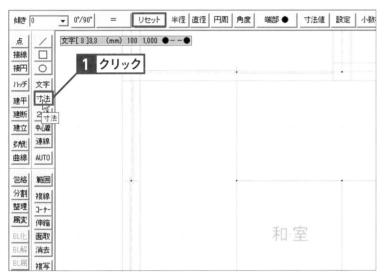

2 寸法コマンドを実行

ツールバーの「寸法」ボタンをクリックし、下の完成図を参考に寸法を作図します。内側の寸法は連続寸法❯ p.88でかき、コントロールバー「リセット」をクリックしてから外側の寸法をかきます。終了したらファイルに「rensyu5-5-3kansei」と名前を付けて保存します❯ p.36。

室名と寸法の完成図

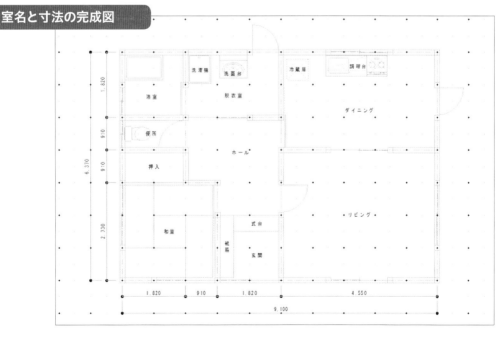

SECTION
06 印刷しよう

　完成した間取図を印刷してみましょう。なお、図面はモノクロ（黒色1色）で印刷します。線属性の線色の違いが線の太さの違いとなって印刷されます。

▶ 印刷の準備

　印刷の準備としてプリンターとA4の用紙を用意します。パソコンとプリンターを接続して、プリンターの電源を入れ、A4の用紙をセットして印刷の準備を整えてください。

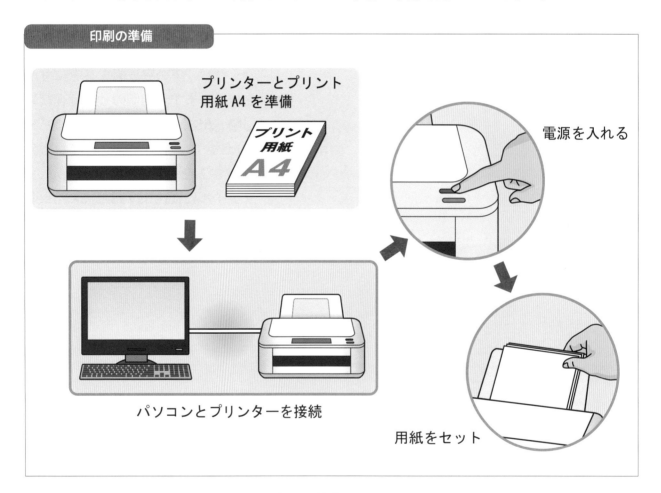

印刷の準備

プリンターとプリント
用紙 A4 を準備

プリント
用紙
A4

電源を入れる

パソコンとプリンターを接続

用紙をセット

> **注意!** パソコンとプリンターの接続方法については、プリンターメーカーのホームページや取扱説明書などでご確認ください。なお、以降の説明ではお使いのプリンターによっては表示される画面の内容が異なることがあります。ご了承ください。

→ 図面を印刷する

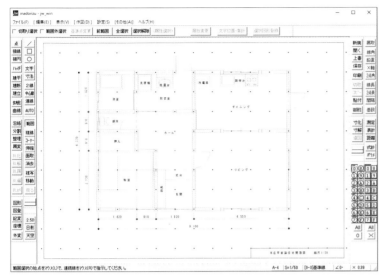

1 印刷する図面を開く

ここまで作図してきた図面ファイル「rensyu5-5-3kansei」、または完成ファイル「madorizu」を開きます ▶ p.48。

> **補足** レイヤの状態がグレーの「表示のみ」になっている場合は、レイヤバーの［0］ボタンを右クリックしてから、レイヤバー下部にある［All］ボタンを右クリックします。0レイヤが書込みレイヤになり、それ以外はすべて編集可能レイヤになります。 ▶ p.141、142

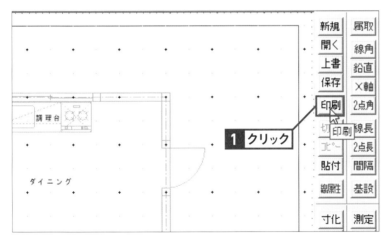

2 印刷コマンドを実行

ツールバーの「印刷」ボタン（「ファイル」メニュー→「印刷」）をクリックします。

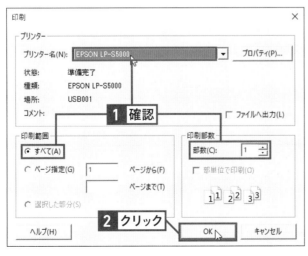

3 印刷するプリンタや部数を確認

「印刷」ダイアログが開くので、「プリンター名」で接続しているプリンターの名前、「印刷範囲」が「すべて」、「部数」が「1」になっていることを確認し、「OK」をクリックします。

補足 「プリンター名」に表示されるプリンターの機種は、スタートメニューの「設定」ボタン（アイコン）（▶ p.11）をクリックして開く「Windowsの設定」の「デバイス」→「プリンターとスキャナー」の画面に登録されているプリンターです。

この画面下段の「Windowsで通常使うプリンターを管理する」にチェックを入れると（初期設定）、直近で印刷した時に使用したプリンターが「Windowsで通常使うプリンター」に自動的に設定されるようになります。チェックを外すと、その時点で「Windowsで通常使うプリンター」に設定されている機種が「既定」のプリンターとして固定されます。

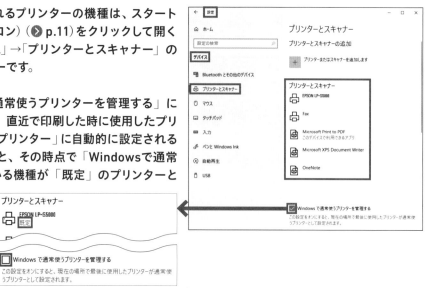

4 印刷範囲枠の調整

作図ウィンドウに赤色の印刷範囲枠が表示されます。用紙の向きと合っていないため調整します。コントロールバー「プリンタの設定」をクリックします。

補足 印刷範囲枠の大きさや向きはプリンターの初期設定に依存します。ここで調整する印刷範囲枠は図面を開いている間は有効です。

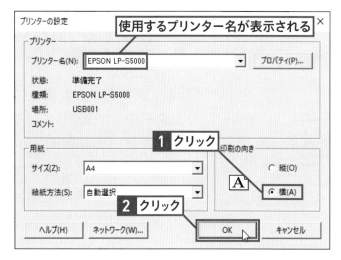

5 用紙の向きを変更

「プリンターの設定」ダイアログが開くので、「印刷の向き」欄で「横」をクリックして●印を付けます。「OK」をクリックします。

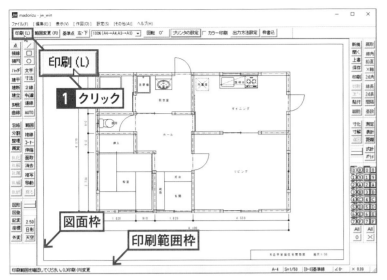

6 印刷する

赤色の印刷範囲枠が横向きになります。図面枠が印刷範囲枠の中に入っていたら、コントロールバー「印刷」をクリックします。直ちに印刷が開始されます。

> **注意!** コントロールバー「印刷」の代わりに作図ウィンドウ上でクリックしても、直ちに印刷が開始されます。つい何度かクリックして同じ図面を何枚も印刷してしまうことがあるため注意してください。

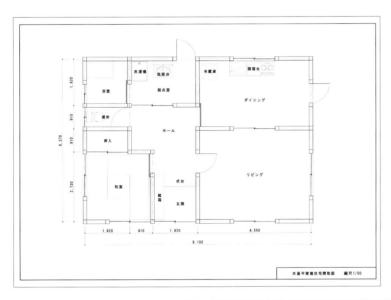

7 図面が印刷された

図面がモノクロで印刷されました。線は各線色に対応した太さになっています ▶ p.145、186。
間取図を印刷して本書の練習は終了です。Jw_cadを終了させましょう ▶ p.31。

> **補足** カラープリンターなら、コントロールバー「カラー印刷」にチェックを付けると、図面が画面表示のようにカラーで印刷されます。

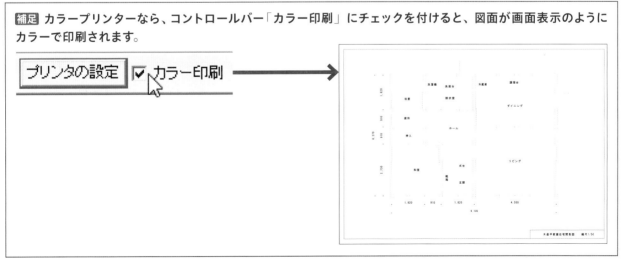

印刷時の線幅（線の太さ）を確認する

　p.145 で説明したとおり、Jw_cad では、画面上の線色が印刷時の線の太さに対応しています。「jw_win」ダイアログ（● p.30）の「色・画面」タブにある「プリンタ出力 要素」欄で線色 1 〜 8 に対応している線幅（線の太さ）を確認できます。この数値を大きくすれば線が太くなり、小さくすれば細くなります。

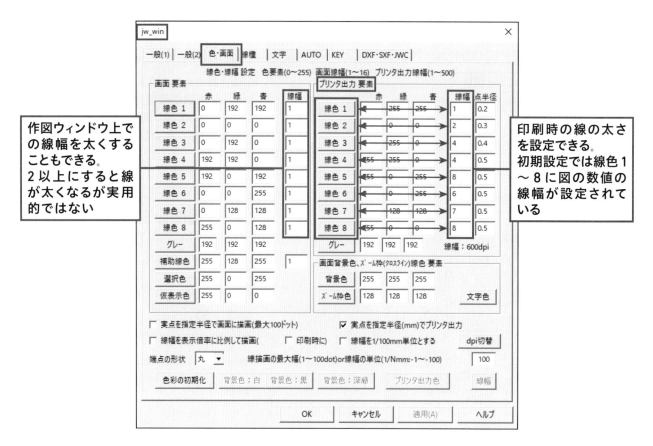

作図ウィンドウ上での線幅を太くすることもできる。
2 以上にすると線が太くなるが実用的ではない

印刷時の線の太さを設定できる。
初期設定では線色 1 〜 8 に図の数値の線幅が設定されている

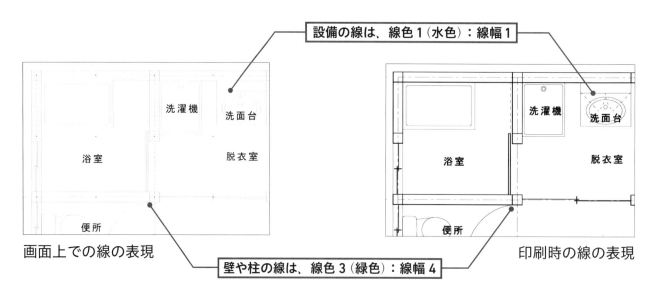

設備の線は、線色 1（水色）：線幅 1

画面上での線の表現

印刷時の線の表現

壁や柱の線は、線色 3（緑色）：線幅 4

印刷倍率を変更する

コントロールバー「プリンタの設定」で用紙設定を正しても、印刷範囲枠が図面枠の内側にあり、そのまま印刷したら図面の一部が切れてしまうような場合は、印刷倍率を変更することで対処します。拡大や縮小印刷する時も、この印刷倍率を使います。印刷コマンドのコントロールバー「印刷倍率」で操作します。

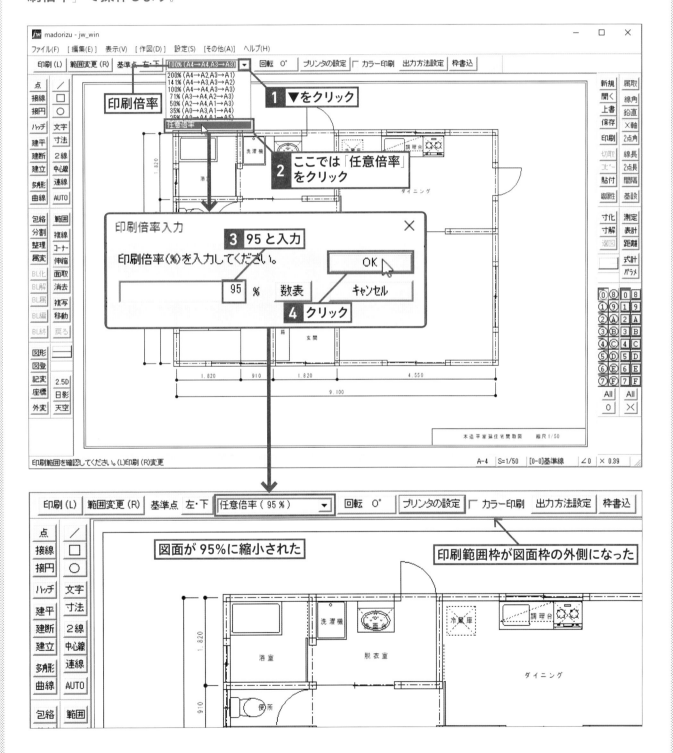

索引

パソコン超初心者のための
図解でかんたん！ Jw_cad 8

FAX質問シート

［送付先］

FAX 03-3403-0582

メールアドレス **info@xknowledge.co.jp**

以下を必ずお読みになり、ご了承いただいた場合のみご質問をお送りください。

● 「本書の手順通り操作したが記載されているような結果にならない」といった本書記事に直接関係のある質問にのみご回答いたします。「このようなことがしたい」「このような時はどうすればよいか」など特定のユーザー向けの操作方法や問題解決方法については受け付けておりません。

● 本質問シートでFAXまたはメールにてお送りいただいた質問のみ受け付けております。お電話による質問はお受けできません。

● 本質問シートはコピーしてお使いください。

● 必要事項に記入漏れがある場合はご回答できない場合がございます。

● ご質問の内容によってはご回答できない場合や日数を要する場合がございます。

● パソコンやOSそのもの、Windowsについてのバージョンやアップデートに関する情報や本書に掲載した操作以外の内容などについての質問には対応致しかねます。ご使用の機器や環境についての操作方法・トラブルなどの質問は受け付けておりません。あらかじめご了承ください。

ふりがな

氏名　　　　　　　　　　　　　　　年齢　　　歳　性別　男　・　女

回答送付先（FAX番号またはメールアドレスのいずれかをご記入ください）

FAX番号　　　　　　　　　　　　メールアドレス

※送付先ははっきりとわかりやすくご記入ください。判読できない場合はご回答いたしかねます。※電話による回答はいたしておりません

ご質問の内容（本書記事のページおよび具体的なご質問の内容）
※例）2-1-3の手順4までは操作できるが、手順5の結果が別紙画面のようになって解決しない。

【 本書　　　　　ページ　～　　　　　　ページ 】

ご使用のパソコンの環境
OSの種類とバージョン、メモリ量、ハードディスク容量など。

著者紹介

中央編集舎（ちゅうおうへんしゅうしゃ）
パソコン書・自然科学書・理工学書・語学書などの編集・制作業務を請け負う
ゆるやかな共同作業集団（非法人）。出版社および編集プロダクションなどか
らの受注歴多数。近年はエクスナレッジの出版物を中心に手掛ける。

執筆担当：鈴木 健二（すずき けんじ）
1960年生まれ、東京学芸大学教育学部卒（教育工学専攻）、長野県在住、趣味
は無農薬米栽培。大手予備校のプログラマー、理工学出版社の編集、編集プ
ロダクションの編集を経て、中央編集舎代表
イラスト：坂巻 妙子（さかまき たえこ）
校正支援：倉田 節子（くらた せつこ）

パソコン超初心者のための
図解でかんたん! Jw_cad 8

2020年 4月17日　初版第1刷発行
2021年10月20日　　　第2刷発行

著　者　　中央編集舎
発行者　　澤井聖一
発行所　　株式会社エクスナレッジ
　　　　　〒106-0032　東京都港区六本木7-2-26
　　　　　https://www.xknowledge.co.jp/

●問合せ先
　編集　TEL 03-3403-5898 ／ FAX 03-3403-0582
　　　　info@xknowledge.co.jp
　販売　TEL 03-3403-1321 ／ FAX 03-3403-1829

※本書内容についてのご質問は、電話では回答できません。P191のFAX質問シートを
　ご利用ください。